PUBLICATIONS IN MEDIAEVAL STUDIES
THE UNIVERSITY OF NOTRE DAME
EDITOR: PHILIP S. MOORE, C.S.C.

——————————II——————————

COMMENTARIUS CANTABRIGIENSIS IN EPISTOLAS PAULI E SCHOLA PETRI ABAELARDI: 2. IN EPISTOLAM AD CORINTHIOS Iam ET IIam AD GALATAS ET AD EPHESIOS

D1542974

BY
ARTUR LANDGRAF

NOTRE DAME, INDIANA
1939

Nihil Obstat:

Eugenius P. Burke, C.S.C., Ph.D.
Censor Deputatus

Nostrae Dominae III Julii, 1939

Imprimatur:

Johannes Franciscus Noll, D.D.
Episcopus Wayne Castrensis

Wayne Castris die III Julii, 1939

Imprimi potest:

Thomas A. Steiner, C.S.C.
Provincialis Congregationis a Sancta Cruce

Nostrae Dominae die III Julii, 1939

PREFACE

Two years after the appearance of the first part of the *Commentarius Cantabrigiensis* it is possible, thanks to the kindness of Doctor Philip S. Moore, C.S.C. and the University of Notre Dame, to edit this second part. Contained herein are commentaries on the First and Second Epistles to the Corinthians, on the Epistle to the Galatians, and on the Epistle to the Ephesians.

In this part of our Commentary, the *philosophus*, that is Abelard, assumes an ever greater prominence. Several times *philosophus* is not even added to the *inquit*, and this in passages in which abelardian doctrines are set forth. This but strengthens the impression that a Pauline Commentary by Abelard served as model for this work.

From the theological standpoint, the rather extensively developed doctrine on matrimony is here of particular interest. Other important doctrines are also found in this part of the work and to facilitate their study an exhaustive index of names and subject matter has been added.

The general plan and form of this second part are the same as in the first part. To simplify the use of the complete Commentary, which will include four parts in all, it has been thought advisable not to begin the pagination anew with each part but to continue it throughout the work.

Artur Landgraf.

[IN PRIMAM EPISTOLAM AD CORINTHIOS]

"Paulus"[a] etc. Post epistolam, quam Romanis scripsit, 124r aliam scribit Corinthiis. Quibus due scribuntur epistole, hec videlicet et illa, que sequitur. Corinthus autem[b] est civitas metropolis, ubi apostolus per biennium et annum dimidium moratus est et multas animas lucratus est Domino. Qui cum recesserit, pseudoapostoli intraverunt in messem illius et superseminaverunt zizania subvertendo populum illum multis modis, quod videlicet quidam de baptizatoribus suis gloriabantur, quasi unus baptizator maiorem efficaciam in baptismate haberet quam alter, et a nominibus illorum tamquam insigniti ad gloriam sibi nova assumpserunt vocabula. Quidam vero contra apostolum inflati erant dicentes non eum esse apostolum, qui cum Domino conversatus non est sicut ceteri apostoli nec etiam a Domino missum, sed[c] per se venire. Alii vero de resurrectione male sentiebant. Alii cum conscientia idoli de idolotitis comedebant, tamquam caro illa idolis immolata aliquid sanctitatis eis conferre posset. Quidam etiam erat inter illos, qui novercam suam duxerat, qualis fornicatio, ut ipse dicit, nec etiam est inter gentes. Omnia autem ista sunt eius materia. Intentio vero, ut illos ab huiusmodi revocet.

Et more scribentium salutationem premittit, in qua monstrat, quem affectum habeat erga illos. Cui quedam alia annectit, in quibus eos allicit, antequam ad rem veniat, ut aspera, que postmodum dicturus est, eum potius ex amore dicere intelligant quam ex crudelitate.

---

[a] Paulus] *aulus*
[b] autem] *add.* est in
[c] sed] *add. et del.* a Domino

[Cap. 1.]

Et sic incipit: "Paulus vocatus", quasi dicat: qui non sum dignus vocari apostolus, sed tamen vocant me apostolum. Vel "vocatus", qui videlicet per me non veni, ut quidam dicunt et ut quidam faciunt, qui inter vos sunt, sed vocatus a Domino.[a] Vel "vocatus", id est nominatissimus inter alios. Et hoc "per voluntatem", id est per dispositionem Dei. "Et Sostenes frater". Istum apostolus secum commemorat, ut intelligant eum illi omnia retulisse, qui sciebat, quicquid apud illos factum est. Hunc enim post discessum suum ibi reliquerat, ut ille in eis, que ad ipso audiverant, eos confirmaret, et, si quid questionis inter eos emergeret, iste mitigaret. Apostolus enim ita providit, ne illi, qui noviter plantati erant, si in aliquo errarent, possent culpam suam in ipsum retorquere, quasi non haberent aliquem, qui eos doceret et corrigeret. Et ideo istum apud illos, cum discesserit, reliquit, acsi diceret: Ecce Ur et Aaron vobiscum, quibus, si quid questionis ortum fuit, referetis. Sed postmodum venientibus pseudoapostolis ille ibi locum non habuit, sed recedens omnia apostolo retulit.

"Ecclesie" mandat, subaudis. "Ecclesie, que est Corinthi, gratia vobis" etcetera". Et que sit ęcclesia, cui hoc mandat, ne de[b] corporali ęcclesia hoc intelligerent, supponit: "sanctificatis", qui videlicet sacramentum baptismatis susceperunt, in quo est sanctificatio. Et hoc "per Christum Jhesum vocatis sanctis", id est, qui illo sancto nomine iam insigniti estis, a Christo videlicet christiani vocati. "Cum omnibus", scilicet suffraganeis ecclesiis, quia, ut diximus, Corinthus metropolis est civitas.

"Qui invocant". Non qui vocati, sed "qui invocant", id est cum interiori affectu postulant, "nomen Domini", id est notitiam, ut videlicet Deum videant facie ad faciem.

---

[a] sed vocatus a Domino] *inter lineas*
[b] de] *inter lineas*

"Ipsorum", scilicet Corinthiorum. "Et nostro." Nostra terra est per potestatem, illorum vero per inhabitationem sive etiam per potestatem.

"Gratia vobis" etc. Quod supra est expositum.

"Gratias ago". Finita salutatione annectit quedam alia, in quibus ostendit, quem affectum erga illos habeat, ne bona illa, que eis in salutatione optaverit, potius viderentur esse[a] ex consuetudine scribendi epistolas quam ex amore. Et hoc est "gratias ago Deo meo semper", id est assidue, "pro vobis", id est ad utilitatem vestram. Et hoc "in gratia", id est pro "gratia", id est pro dono Dei gratuito, quod datum est vobis per Christum Jhesum, quia "in omnibus". Quod exponit dicens: "in omni verbo", quantum ad doctrinam predicationis; "in omni scientia", quantum ad intelligentiam. Et hoc ita, sicut "testimonium", id est sacra scriptura, que Christo attestatur, confirmata est "in vobis." Ita dico, ut nichil "desit vobis in ulla gratia", id est vel ad docendum vel ad intelligendum. Ecce hec bona illis ascribit, que utique in eis erant, etsi non in singulis essent personis, ut unusquisque eorum, quod suum est, in verbis illius recognoscat.

"Expectantibus". Vobis scilicet, dico, "expectantibus", id est cum quadam securitate sperantibus, "revelationem", id est gloriam, que est revelanda fidelibus[b] per Dominum nostrum Jhesum Christum.

"Usque in finem", vite scilicet vestre, "sine crimine", id est sine aliquo criminali. Et hoc usque "in die adventus". Dies adventus Domini est dies exitus uniuscuiusque, cui Dominus advenit, id est occurrit vel ad gloriam dandam vel ad penam irrogandam.

"Fidelis". Et vere confirmabit, "quia "fidelis Deus in societatem fidei", ut videlicet cum illo regnetis.

"Obsecro autem". Premissa salutatione et quibusdam aliis annexis, quibus eos alliceret, incipit tamquam a iuramento sumens exordium dicens: "obsecro vos per nomen",

---

[a] viderentur esse] *inter lineas*
[b] fidelibus] *inter lineas*

acsi diceret: Non sit vobis ad utilitatem nomen Domini,
id est notitia, nisi feceritis, quod ego obsecro. Cum enim
quis dicit: per Deum hoc faciam, in verbis illis astruit,
quod Deus videlicet non sibi prosit, nisi hoc tenuerit. Ut id
"ipsum dicatis omnes", id est idem sentiatis et "non sint in
vobis scismata", id est dissensiones. Et est alius scismaticus,
alius hereticus. Hereticus enim est, qui ex contentione in
aliquo errore permanet nec vult redire. Scismaticus vero
est, cui non sufficit se ipsum perdere, nisi alios secum per-
dat.

In eodem sensu" scilicet verborum. "Scientia", id est intelligentia.

"Significatum". Diceret aliquis: Suntne dissensiones
inter vos? Ita utique, quia "significatum", id est mandatum est michi per litteras, "ab his, qui sunt Cloes". Locus
est Cloes Corinthiis affinis, a quo mandatum est apostolo
per predictum Sostenem de vita illorum. Sostenes enim, ex
quo apud illos locum non habuit propter pseudo, venerat
illuc et fideles, qui ibi erant, fecerunt istum ad apostolum ire
et omnia ei nuntiare. Apostolus tamen ita callide dicit,
quod hoc ex verbis suis non habeant,[a] quamvis id conicere
possint.

"Non in sapientia", id est in rethoricis ornatibus vel rationibus dialectice.

"Sapiens", qui iam videlicet sapientiam illam habet per
habitum nec amplius scribit. "Scriba", qui videlicet iam
scribit, ut eam habeat. "Conquisitor", qui videlicet iam
scribere cogitat, ut eam conquirat.

"Stultam fecit", cum videlicet regulas philosophorum
falsificaverit, qui dicebant cum viro concubuisse, si qua
pepererit, et impossibile ad visionem redire, si quis semel
amiserit.

"In conspectu eius". Immo dicat cum psalmista: Ipse
fecit nos et non ipsi nos.[412]

---

[a] habeant] habent

---

[412] Psalm. 99,3

[CAP. 2.]

"Et ego", qui videlicet sum de numero predictorum, "cum venissem" etc. Erant enim apostoli noctes noctibus et dies diebus iuxta illud: Dies diei eructat verbum et nox nocti indicat scientiam.[413]

"Spiritus enim omnia". Super hunc locum dicit beatus Ambrosius,[414] quod Spiritus Dei Deus est, cum omnia illa sciat, que Deus. Nulla enim, inquit, creatura in aliquo equi ‖ paratur suo creatori. In quo plane contra illos est, 124v qui dicunt animam Christi scire quantum Verbum, quia "spiritualiter examinatur", id est inde fit examinatio a spiritualibus, id est discussio. Est enim impersonaliter positum.

---

[413] Psalm. 18,3

[414] Ambrosiaster, *Comment. in epist. 1 ad Cor.* c. 2 (PL 17,195): "Spiritus enim omnia scrutatur, etiam profunda Dei." Quia enim de Deo est hic spiritus, omnia novit.

"Plantavi", id est fundamentum posui. "Appollo riga-
vit", id est post plantationem meam suis exortationibus eos
confirmavit quasi aquam fundens novis plantis.

"Nescitis". Bene dixi: agricultura estis, Dei edificatio
estis, quia "nescitis". Et "spiritus Dei", id est amor Dei.
"Violaverit". Ille violat templum Dei, qui honorem, quem
capiti debet, membris ascribit. Et merito, quia "templum
Dei sanctum est, quod estis". Sed, ut beatus Augustinus[415]
dicit, in materiali templo, si quis aliquid inhonestum fecerit,
omnes irascuntur; si quis vero spiritale templum Dei con-
taminat, nemo indignatur.

"Nemo". Aliud in eis vult corrigere, quia illi sapientiam,
quam habebant a Deo, suo labori et studio ascribebant, non
gratie divine. Et hoc est "nemo se seducat" imputans sibi,
quod a Deo habet.

"Comprehendam". Quasi fugientes capiam et eos oppri-
mam etiam "in astutia", id est propter astutiam illorum,
que, cum non prosit, nocere potest, quia reddit hominem
inflatum.[a]

"Itaque nemo". Ad baptizatores redit, acsi diceret: quia
non est gloriandum nisi in Deo, "itaque" etc. Qui enim vult
gloriari, non se ipsum vel homines[b] consideret, sed pretium,
quod pro se datum est. Unde apostolus: Absit michi gloriari nisi in cruce Domini nostri Jhesu Christi.[416] "Omnia
enim vestra", id est ad vestram utilitatem facta. "Sive
vita" etiam vestra, ut vivendo magis et magis in amore Dei
proficiatis. "Mors", ut videlicet finiatis miserias istas et ad
gaudium transeatis. Unde beatus Martinus: Etsi parcis
etati, hos, quibus timeo, ipse custodies.[417]

---

[a] que, cum non—inflatum] *inter lineas*
[b] vel homines] *inter lineas*

[415] Cf. Augustinus, *Sermo 278* (PL 38,1272).
[416] Gal. 6,14
[417] Sulpicius Severus, Ep. 3. (Sulpicii Severi libri qui supersunt.
Ed. C. Halm, Wien, 1866, 148 sq.).

"Dispensatores". Non dicit, ut fideles, quia "hic", id est apud vos. "Michi pro minimo". Quasi dicat: Ita vos iudicatis ministros Dei. Sed "michi pro minimo". Non dicit: pro nichilo, quia unusquisque doctor, quantum potest, vitare debet, ne subditi male de illo sentiant. De minimo autem dicit respectu iudicii Dei, qui errare non potest. Illi vero, si iudicent, errare possunt. "Aut ab". Quasi dicat: aut etiam ab aliquo sapiente, qui est quasi dies inter alios, quoniam et ipse errare potest. "Sed non in hoc", quia et ipse errare potuit, qui rogavit, ut stimulus ille discederet.

"Ante tempus", id est antequam Deus nobis revelet vel per internam inspirationem vel etiam per legem. Et tunc Deus potius iudicat quam nos.

"Consilia", id est intentiones. "Et tunc", id est post revelationem.

"Supra quam scriptum est", quia hoc nusquam scriptum est. "Quis enim te discernit", id est superiorem facit et eminentem in dono aliquo.

"Angelis et hominibus", id est fidelibus et infidelibus iuxta illud: Et viderunt filii Dei filias hominum.[417a] Vel "angelis", id est sacerdotibus, "et hominibus", id est subditis. Unde illud: Labia sacerdotis custodiunt iustitiam et iustitiam requirent ab eo, quia angelus Domini exercituum est.[a] [418]

"Peripsima", limatura ferri vel purgatorium pomi.

"An virga, an in caritate," id est an commotus, an mansuetus.

---

[a] "Angelis et hominibus"—exercituum est] *inter lineas et in margine*

[417a] Gen. 6,2
[418] Malach. 2,7

"In nomine Domini nostri", id est in notitia illa, quod de
Deo habemus. "Vobis congregatis et meo spiritu", id est
mea discretione cum vestra. "Tradere" id est iuste eum
excomunicare, ut satane omnino sit expositus. Cum enim
aliquis iuste sit excommunicatus, ita satane traditus est, ut,
cum voluerit, in eum manum ponat et, quocumque modo
placuerit, eum tractet. Sed quamdiu quis quantumcumque
pessimus est in unitate ęcclesie et communionem cum fidelibus habet, non habet diabolus in eum potestatem, sed, ex
quo gladio anatematis iuste ligatus est, cedit in potestatem
diaboli. Tradere, dico, "in interitum[a] carnis", id est, ut illa
voluptas carnis illicita, quam habet, in eo moriatur, ut et
ipse tandem salvus fiat.

Hęc autem potestas ligandi sive solvendi[b] apostolis et
eorum vicariis data est a Domino dicente: Quodcumque
ligaveritis super terram, erit ligatum et in celis,[419] id est,
cuicumque introitum vestre ęcclesie negaveritis, cetere
ęcclesie non eum recipient. Et quodcumque solveritis super
terram,[420] id est, quemcumque in ęcclesia vestra receperitis,
universa ęcclesia ei dabit introitum. Rursus in duabus cla-
vibus regni celorum, quas Dominus Petro contulit, iste
etiam potestates significantur, potestas videlicet ligandi et
potestas solvendi, ut prelatus ęcclesie, cui claves iste con-
cesse sunt,[c] si clauserit, nemo aperiat, si aperuerit, nemo
claudat. Hinc autem, ut beatus Jeronimus[421] dicit [126*] qui-

---

[a] interitum] teritum
[b] solvendi] solve *inter lineas*
[c] cui—sunt] *in margine*

---

[419] Matth. 18,18
[420] Matth. 18,18
[421] Hieronymus, *Comment. in evangel. Matthaei* lib. 3 c. 11 v. 19
(PL 26,122). Cf. Beda, *In Matth.* 3,16 (PL 92,79); Smaragdus, *Col-*

[126*] Cf. Abaelard., *Ethica seu Scito te ipsum* c. 26 (PL 178,674C).

dam assumunt supercilia phariseorum existimantes se posse
regnum celorum aperire. Sed celum quomodo aliis aperient,
qui sibi ipsis aperire non possunt, qui utique, si possent et
non facerent, multum arguendi essent, cum id uno etiam
verbulo possent facere,[a] acsi dicerent: Remittimus vobis
peccata et introite. Sed beatus Gregorius[422] dicit super
Ezechielem, quod multis maledicunt sacerdotes, quibus Deus
benedicit, et multis benedicunt, quibus Deus maledicit.
Sacerdotes tamen sive iuste maledicant sive non, semper
est eis obediendum, ne culpa fiat, ut beatus Augustinus[423]
dicit, ubi primitus culpa non erat. Super Johannem etiam,
ubi agitur de resuscitatione Lazari clamante Domino: La-
zare, veni foras,[423a] qui postquam adductus est foras ligatus,
dixit discipulis: Solvite eum et sinite abire,[423b] super hunc
locum dicit beatus [b][Augustinus][424] eundem ordinem servari in peccatoribus, qui per Lazarum designantur, quibus
Deus primum reconciliatus est, deinde sacerdotes habent
eos solvere.

"Non est bona". Vos gloriamini, sed "gloriatio vestra non
est bona", qui talem tamdiu tolerastis, qui vos pravo exemplo corrumpere potest, quia "nescitis" etc. Fermentum est
vetus pasta, que acredinem habet, que nove paste ammixta
sua acredine dulcedinem illius corrumpit.

---

[a] facere] *inter lineas*
[b] beatus] *sequitur vacuum loco nominis*

---

lectiones in epistolas et evangelia. In Natali Domini (PL 102,392);
Rabanus Maurus, *Comment. in Matth.* 5,16 (PL 107,992); Abaelard.,
Sic et Non c. 26 (PL 178,674). Videtur hic esse locus Hieronymi
allegatus commixtus cum loco quodam Origenis allegato ab Abae-
lardo, *Ethica* cap. 26 (PL 178,675).

[422] Cf. Abaelard., *Ethica* c. 26 (PL 178,676); Gregorius, *XL homiliarum in evangelia* lib. 2 hom. 26 n. 6 (PL 76,1200B).

[423] Gregorius, *XL homiliarum in evangelia* lib. 2 hom. 26 n. 6 (PL
76,1201B).

[423a] Joh. 11,43

[423b] Joh. 11,44

[424] Opusculum spurium *De vera et falsa poenitentia*, c. 10 n. 25
(PL 40,1122).

"Expurgate igitur". Quia modicum fermentum corrumpit, igitur "expurgate", id est expellite, ne videlicet perverso eius exemplo corrumpamini, "vetus fermentum", id est istum fornicarium, qui iam inveteratus est inter vos. "Ut sitis nova conspersio", id est similes nove conspersioni azimi, "sicut" adhuc "estis", quia nondum fermento illo corrupti estis. Azimus est panis sine fermento, qui videlicet fermentatus non est.

"Etenim pascha". Et merito hanc novitatem tenere debetis, quia Christus "immolatus est", acsi diceret, quia, quanto purius est et verius nostrum sacrificium quam antiquorum, qui figurata sacrificia habebant, tanto sinceriores nos preparare debemus. Antiqui enim post esum agni, qui verum agnum figurabat, septem diebus postmodum azima comedebant. Sic et nos post comestionem veri agni debemus esse in azimis sinceritatis et veritatis toto tempore postea. Quod per septem dies designatur, quia totum tempus in septem diebus volvitur. Et hoc est, quia "Christus immolatus pascha nostrum", id est hostia, per quam transimus ad patriam. Et ideo "ita epulemur" etc.

"Scripsi". Quasi dicat: Dixi, ut hoc fermentum a vobis expurgetis, quod iam debuissetis, quia ego "scripsi" vobis, fratres, "ne commisceamini", id est ne communionem habeatis cum fornicariis. Non dico," fornicariis huius mundi", id est gentium, que mundus sunt, id est insensibiles, vel propter multitudinem, quia adhuc pauci erant fideles.

"Aut avaris". De avaris sepe diximus, quod tot hominum homicide sunt, ut beatus dicit Jeronimus,[425] quot sustentare possunt ex eis, que ultra necessaria retinent. Sed sub necessariis comprehendimus ea etiam, que ad dignitatem persone spectant. Rex enim, qui multis providere habet, multa habere convenit, ut, si opus fuerit, pecuniam habeat, unde pauperes tueatur.

---

[425] *Dialogus contra Pelagianos*, lib. 3 n. 7 (PL 23,603) : Vetus enim sententia est homicidam esse eum, qui, cum possit hominem de morte liberare, non liberet.—Locus videtur potius esse Gregorii, *Regulae Pastoralis liber*, c. 21 (PL 77,87) : qui, cum accepta non tribuunt, in proximorum nece grassantur.

"Aut idolis". Ille utique idolatra est, qui ex illa forma, quam videt, putat aliquid sanctificationis apud Deum obtinere.

"Alioquin". Ideo sic determino, quia "alioquin", id est aliter, "debueratis" etc., cum videlicet ubique huiusmodi vobis occurrant. ‖   125r

"Nunc autem". In illa epistola scripsi vobis et nunc etiam in ista "scripsi non commisceri", id est cum illis societatem non habere. Ut autem a libidine eos revocet, hoc sepe repetit, quia Greci immoderate libidinosi erant, qui etiam in domibus suis eunuchos habebant. Unde et imperator Constatinopolitanus in curia sua meretrices habet, ut populus a turpitudine illa revocetur. Et meretrices ille in tanto honore et reverentia sunt, quod, quicumque voluerit, sine omni reprehensione potest ad illas ingredi. Si quis enim digitum etiam plicaret ad vituperium alicuius ingredientis, illum faceret imperator detruncari. Et dicunt, quod nobiliores mulieres sunt in ista amministratione. Si qua enim cum aliquo dormierit ante nuptias, preceptum est a rege, ut curiam suam sequatur.

[CAP. 6.]

"Audet aliquis". Dixerat: Quid est michi de his, qui foris
sunt, iudicare. Nonne et vos de eis, qui intus sunt, iudicatis? Huius occasione iudicii vult eos corrigere in iudiciis
suis, qui nolebant ad causas minorum condescendere, sed
sustinebant fratres suos ire ad infideles, ut iudicia quererent, qui eos et deridebant et gravabant. Ad quod corrigendum callide incipit non a persona illorum, quorum erat
diffinire causas aliorum, sed a persona eorum, qui coacti
ab infidelibus querebant iudicia, dicens: "audet", id est
presumit. "Sancti", sicuti apostoli, quibus dictum est: sede-
batis et vos super sedes duodecim iudicantes XII tribus
Israel.[426]

"De mundo", id est iudicium facient.

"Angelos", malos videlicet. In futuro enim apparebit, quam
reprehensibiles sint illi spiritus, qui nemine cogente a Deo
recesserunt, cum homines, qui multo sunt fragilioris nature,
in medio etiam tribulationum Deo adhererent. Vel "angelos",
id est sacerdotes, quos etiam rusticus idiota iudicabit, id est
ostendet reprehensibiles.

"Secularia igitur". Et quia secularia iudicare potestis, qui
maiora estis iudicaturi, igitur, "si habueritis", non dico, ut
habeatis, sed "si habueritis secularia iudicia, constituite
contemptibiles" id est minores personas, que sunt in ęcclesia
ad iudicia deputate, ne vos videlicet, qui spiritales estis,
verecundemini causas minorum terminare. Et hoc est, quod
supponit: "ad verecundiam vestram", id est hoc dico ad
removendam verecundiam; vel ad verecundiam habendam,
qui usque adhuc causas fratrum contempsistis, et ipsi eas
negligitis diffinire. Hec lectio est beati Gregorii.[427] Beatus
vero Augustinus[428] sic legit secundum yroniam: "Consti-

---

[426] Matth. 19,28

[427] Cf. Petrus Lombardus, *Collectanea in epistolas divi Pauli. In epist. I ad Cor.* c. 6 (PL 191,157).

[428] Cf. *De opere monachorum*, c. 29 n. 37 (PL 40,577).

tuite contemptibiles", id est ydiotas statuite ad iudicandum,
quasi diceret: Tales nequaquam^a convenit. Quod ostendit,
inquit, cum supponat dicens: "ad verecundiam", id est, ut
vos verecundemini.

"Quod iudicia", scilicet talia. "Iniuriam accipitis", id est
sustinetis. "Nolite errare" ', confidendo scilicet de misericordia Dei, ut huiusmodi faciatis, quia "neque fornicarii"
etc. "Molles", qui turpia in seipsis exercent, "regnum Dei
non possidebunt", si videlicet perseverent in talibus. "Ab-
luti" per sacramentum, in quo est sanctificatio. Et quia
multi abluuntur, qui videlicet ficte accedunt et non sanctificantur, addit: "sed sanctificati". Et[127*] quia iterum quidam
sanctificantur et tamen iusti non sunt sicuti pueri, qui nondum Deum diligunt, supponit: "sed iustificati", per Dei videlicet dilectionem. Et hoc "in nomine" etc., id est ad gloriam, ut videlicet in omnibus glorificetur. Et hoc non meritis, sed "in spiritu Dei nostri", id est per gratiam Dei.

"Omnia michi". Dixit: quare non magis iniuriam sustinetis? Ad hoc diceret aliquis: Nonne licet nobis nostra repe-
tere? Imo, licet, quia "michi", sicut unicuique nostrum,
"omnia licent". Sed tamen non "omnia", que licent, "expe-
diunt", id est sunt ad utilitatem. "Sed nullius", id est nolo
alicui subditus^b esse et supplicare, ut me iuvet ad repeten-
dum meum contra fratrem, in quo etiam frater meus scan-
dalizetur. Volo enim liber esse, nulli obnoxius, imo, ut alii
michi sint obnoxii. Unde supra: honore invicem prevenientes.[429]

"Esca ventri". Rursus dicerent: Quomodo ergo vivemus?
Nonne comedemus? Immo, quia et "esca" creata est "ventri" et "venter" creatus est "escis", ut sit videlicet recepta-
culum escarum.

---

^a nequaquam] *bis*
^b subditus] *correctum ex* suditus

---

[429] Rom. 12,10

[127*] Cf. Abaelardus, *Expositio in epist. Pauli ad Rom.* lib. 2 c. 3
(PL 178,838).

Sed tamen pro illis non est multum laborandum, quia
"Deus" etc. Venter enim in alium statum in futuro pre-
parabitur, ubi ei esca non erit necessaria. "Corpus autem".
Esca, dico, creata est ventri, sed tamen ita, ut moderate
sumatur, ne membra inde sint proniora ad luxuriandum,
quia "corpus", non est videlicet subditum, "fornicationi",
sed "Domino", quia "Dominus" preest, subaudis, "corpori".
"Deus autem" ventrem destruet. Sed de reparatione non
est diffidendum,[a] quia "Deus" nos tandem resuscitabit.

De resurrectione Domini, quia est testimonium nostre resurrectionis, premittit,[b] ut videlicet resurrectionem,[c] que iam in
capite precessit, certum sit tandem in membris sequi.

"Nescitis". Et vere fornicationi non subiacet, quia "nescitis" vos, quoniam "corpora vestra membra Christi", id est
instrumenta, ut ei serviant. "Tollens ergo". Et quia sunt
membra Christi, ergo "tollens", id est auferens Christo,
"membra", que videlicet ei servire debent, "facies membra meretricis", id est instrumenta, ut libidini illius serviant.

"Absit", id est non convenit, quia, "an nescitis" vos, "quoniam, qui adheret", id est carnaliter commiscetur, cum illa[d]
"unum corpus efficitur", unum videlicet in voluptate, cum de
substantia unius transeat in substantiam alterius "in carnali una", id est in carnali voluptate.

"Qui autem adheret Domino" per dilectionem," unus spiritus est", id est unanimus est cum illo in voluntate, cui videlicet placebit, quicquid Deus fecerit.

Et ideo, fratres, "fugite fornicationem". Non dicit:
cavete, sed: fugite, id est cum omni desiderio vitate. Hoc
est enim illud, quod precipue hominibus dominatur, et ideo
cum magno studio cavendum. Magnus est enim stimulus,
quem mulieres interius sentiunt, que cum sint experte, quan-

---

[a] diffidendum] distindendum
[b] premittit] *in margine*
[c] resurrectionem] *correctum ex* resurrectio
[d] illa] illam

tus labor sit in pariendo, post partum tamen, quasi numquam pepererint, ad idem tamquam immemores redeunt.
"Omne enim". Vere fugienda est, quia "omne peccatum",
id est omnis actus vitiosus, alius videlicet a fornicatione,ᵃ
"quemcumque fecerit homo", extra corpus est respectu
fornicationis. Si quis enim homicidium facit, ad hoc non
singula membra cooperantur, et de Deo aliquid intendere
potest. Fornicatio vero in totam massam membrorum redundat et venas universas, ita videlicet, quod non est membrum in homine, quod aliquid ex se in lacunam illam, immo
in latrinam non mittat. Nec de Deo interim quicquam quis
intendere potest, cum etiam anima quasi caro efficiatur. Et
quamvis aliquis propter Deum incipiat, numquam in Deo
finiet. Et hoc est "qui autem fornicatur, in corpus suum
peccat".

"An nescitis". Quasi dicat: Propter hoc saltem debetis
fugere, quia "an nescitis" etc. "Et non estis vestri", ut
videlicet vobis serviatis et vestram voluntatem faciatis, sed
eius, qui vos a peccato emit, cuius servi eratis. Et hoc est,
quod subponit: "empti enim estis pretio magno". Et ideo
quecumque facitis, ad gloriam Dei facite[429a] Et hoc est "glo-
rificate Deum et portate". Ille Deum portat in corpore suo,
qui quocumque periculo sibi imminente a Deo non discedit.

ᵃ alius videlicet a fornicatione] *inter lineas*

[429a] I Cor. 10, 31

[Cap. 7.]

"De quibus autem". Occasione fornicationis de matrimonio hoc loco agit. Quia enim dixerat: imitatores mei estote, qui continens erat; et iterum in proximo: fugite fornicationem, ne videretur, quod omnino coniugium interdiceret, de eo hic agit. De quo etiam controversia erat inter illos. Quibusdam enim visum erat, quod christianis omnino interdictum esset matrimonium, ut essent continentes sicuti apostoli. Sed inde litteras miserunt apostolo et consilium ab eo requisierunt. Ad quod modo respondens eis dicit: "de quibus scripsistis michi", dico vobis. Sed hoc inprimis, quod videlicet "bonum est homini mulierem non tangere", id est continentem esse.

Et nota, quod, ubi apostolus loquitur de continentia, ut beatus dicit Jeronimus,[430] dicit: bonum est homini sic manere; ubi vero de matrimonio, numquam dicit: bonum est, sed, qui ducit, dicit, non peccat. Quomodo enim bonum dici potest, quod commendationem non habet nisi respectu mali. "Propter fornicationem". Quasi dicat: Sed tamen qui continens esse non potest, unusquisque suam habeat uxorem. Hoc autem unicuique licet, nisi aliquod intervenerit repagulum, unde non liceat. Vel habeat suam, cui videlicet licet suam habere, et hoc propter "fornicationem", ne videlicet fornicatione Deum offendat. Et est permissio, non preceptum.

"Uxori". Quasi dicat: Et cum ita coniunguntur, "vir uxori 125v reddat debitum", id est non fugiat reddere, cum || ipse datus sit illi ad remedium sue incontinentie. Eodem modo nec mulier, sed utrique invicem reddant. Et merito, quia in huiusmodi nec vir sui corporis potestatem habet, nec mulier sui. Cum enim in omnibus aliis vir presit mulieri, in isto

---

430 Cf. Hieronymus, *Adversus Jovinianum* lib. 1 n. 9 (PL 23,233).

utique pares sunt, in quo sibi ita invicem sunt debitores,[a]
ut id sibi semper debeant. Et est preceptum istud. "Nolite fraudare". Rursus, hoc preceptum est, et hoc est "nolite
fraudare", id est cessare, "nisi ex consensu, ut" videlicet
"ad tempus vacetis", id est instetis, "orationi". "Et iterum
revertimini". Consilium est, ne videlicet in peius incidatis,
et hoc est, quod supponit: "ne temptet" etc.

"Hoc autem", scilicet, quod unusquisque habeat suam,
"dico" etc. Hoc ideo supponit, ne videlicet videretur, quod
unumquemque oporteret quasi constrictum matrimonium
contrahere, quemadmodum in lege erat, que dicebat: Maledictus omnis in Israel, qui non relinquit semen super terram.[430a]

[128*]Hoc loco de coniugio videndum est et primum, quid sit
coniugium, deinde, que coniugium impediunt.

Est autem coniugium sive matrimonium maris et femine
pari consensu inita federatio, per quam licet carnaliter commisceri et eis viventibus non intervenire divortium, ita videlicet, quod muliere vivente vir non ad aliam accedat, nec
mulier ad alium virum eo vivente.

Pari consensu dictum est propter illos, qui consensum non
habent. Ubi enim consensus non est, coniugium esse non
potest. Pueri enim, quamvis copulentur, qui nec etiam sensum habent, coniuges non sunt. Ita nec etiam adulti, si invicem non consentiunt. Ecclesia tamen multos coniuges
esse iudicat, qui coniuges non sunt, sicut illos non esse coniuges, inter quos coniugium est. Veluti si aliqui, quos licet
coniungi, invicem fidem sibi darent privatim, non in audien-
tia ęcclseie, quod hic videlicet illa vivente ad aliam non
accederet nec ista ad alium, essent utique coniuges, inter
quos tamen ęcclesia, que iudicare non habet nisi de mani-
festis, coniugium esse non iudicaret. Huiusmodi tamen non

---

[a] debitores] *inter lineas*

[430a] Locus non in *Vulgata.*

[128*] Cf. *Sent. Herm.* c. 31 (PL 178,1745B sq.) ; *Sent. Rol.,* 270.

minus sunt coniuges. Veritas enim ignorata non minus veritas est. Hoc autem ęcclesia provide facit, ne forte det aliis occasionem faciendi divortium. Tales enim coniuges, si ad alios voluerint transire, per ęcclesiam convinci non possunt.

Sed sicut alienus consensus non potest in pueris valere quicquam ad contrahendum matrimonium, ita videtur nec aliena fides illis posse proficere ad salutem.

Ad quod philosophus: Non est, inquit, verum. Quia enim alienum peccatum nocere potuit, ita et aliena fides prodesse potest. Sed non est ita in matrimonio, ubi nullus pro altero statuendus est.

Postmodum vero subiunctum est: *per quam licet carnaliter commisceri,* ad exclusionem illorum, qui, quamvis consenserint, non licet tamen copulari.

Demum: *nec eis viventibus divortium intervenire,* propter quasdam ęcclesias, que eis viventibus divortium fieri sinunt, quod tamen Romana ęcclesia in consuetudine non habet, vel ad differentiam veteris coniugii dictum est, ubi uni plures licebat habere coniuges et dato libello repudii unam dimittere et aliam accipere.[a]

[129*]Coniugii autem tria bona sunt: fides, proles, sacramentum. Hec enim copula figurat coniunctionem Christi et ęcclesie. Unde apostolus: hoc autem, inquit, sacramentum magnum est; dico autem in Christo et in ęcclesia.[431] Proles autem unum de illis bonis dicitur, quo tamen deficiente non minus est matrimonium, quamvis et a matribus matrimonium dicatur, ut ad hoc videlicet coniungi videantur, quod prolem habeant. Sed apostolus aliam causam non ponit nisi fornicationem, ut videlicet unusquisque habeat suam, que sit ei remedium sue incontinentie, ne per fornicationem suum offendat creatorem. Unde, si aliquis aliquam ducere

---

[a] et dato—accipere] *inter lineas et in margine*

---

[431] Eph. 5,32

[129*] Cf. *Sent. Herm.,* c. 31 (PL 178,1747A).

vellet et ea, que sterilis esset, magis ei placeret quam fecunda ad remedium sue incontinentie, illi utique consulendum esset, ut hanc duceret et illam dimitteret. Tertium vero bonum fides est, id est pactio fidei. Per fidem enim pactum inter se faciunt, acsi diceret vir: Ab hac hora deinceps do tibi corpus meum in usum carnis tue, et inde do tibi fidem meam, quod videlicet te vivente ad aliam non accedam, quodcumque periculum interciderit. Idem quoque et eodem modo promittit mulier. Unde vir, data fide si statim inimicis obviaret et eum detruncarent, mulierem illam habere lege matrimonii oporteret, que per fidem ei pepigit, quod illo vivente quicquid periculi intercideret, ad alium non accederet.

Due autem pactiones fidei[a] in matrimonio sepe contingunt, quarum una est matrimonii, altera de matrimonio. Illa autem, que de matrimonio est, non facit uxorem, quia est de contrahendo matrimonio, sed eam, que nondum uxor est, promittit quandoque uxorem esse. Veluti si aliquis alicui fidem suam daret, ut eam quandoque duceret. Illa vero, que est coniugii, coniugem facit et sine illa non fit coniugium.

Hec autem impediunt matrimonium: adulterium videlicet, propinquitas tam carnalis quam spiritualis et affinitas. Propinquitas enim carnalis impedimento est, quia cognatum cognatam ducere non licet. Rursus spiritalis, quia filio non licet filiolam patris ducere. Et similia. Rursus affinitas, quia non licet viro cognatas uxoris ducere illa mortua. Has enim affines dicimus.

Et nota, quod si unus habuerit consensum uno tempore altero non habente eodem, sed diverso,[b] coniugium non est, nisi ad idem tempus reducatur consensus.

[130*]Queritur, si vir non poterit habere rem cum uxore, an debeant separari.—Nequaquam, quia, ut beatus dicit Augu-

---

[a] fidei] *inter lineas*
[b] eodem, sed diverso] *inter lineas*

[130*] Cf. *Sent. Herm.*, c. 31 (PL 178,1746C sq.).

stinus,[432] si non potest eam habere tamquam uxorem, habeat
eam tamquam sororem, quoniam et ipsi in hunc laqueum se
posuerunt, ut, quod Deus coniunxit, non liceat hominem
separare.[433] Eos enim, qui contrahunt matrimonium, non
licet primitus se invicem temptare, et quid possint, probare.
Immo quasi cecus cecum ducit, ita conveniunt. Et vir, quod
ducit, cognoscere non licet, sed mulierem peplatam et undique velatam, ne noverit, ducit, ita videlicet, ut vulgare
proverbium in ducente compleatur, qui tamquam catum
emit in sacco.   Et ideo recte Theofrastus,[434] ut beatus dicit
Augustinus,[435] a sapiente uxorem non esse ducendam assere-
bat, quia omnem, qui ducit, in ducendo tamquam indiscre-
tum fieri oportet.

De matrimonio iudeorum queritur, qui cognatas ducunt, an,
si ambo ad fidem conversi fuerint, liceat simul manere.

Licet, inquit, et non bene agit omnis, qui eos[a] separat.

[131*]Rursus queritur ,an sit inter infideles coniugium.

Ita utique. Quod plane convincitur ex eo, quod apostolus
precipit virum fidelem a muliere infideli non discedere, si
ipsa consenserit, cohabitare et econverso. Iterum ex auctoritate ewangelii planum est, ex eo videlicet loco, ubi dicitur
a Johanne ad Herodem :[b] Non licet tibi ducere uxorem fra-
tris tui,[436] quia, ut dicit beatus Jeronimus[437] super illum
locum, adulterium esset.

[132*]Queritur, an inter Mariam et Joseph fuerit coniugium.

---

[a] eos] eas
[b] Herodem] heredem

---

[432] Gratian., *Decretum*, p. II C. 33 q. 1 c. 2 (E. Friedberg, *Corpus Iuris Canonici* I, Leipzig (1879) 1149.

[433] Marc. 10,9

[434] Invenitur tantum in loco sequenti Hieronymi. Cf. Abaelardus, *Theologia christiana* lib. 2 (PL 178,1198 sqq.)

[435] Hieronymus, *Adversus Jovinianum* lib. 1 n. 47 (PL 23,289).

[436] Marc. 6,18

[437] Cf. Hieronymus, *Commentariorum in evangelium Matthaei*, lib. 2 c. 14 (PL 26,97).

[131*] Cf. *Sent. Herm.*, c. 31 (PL 178,1747A sq.).—Abaelard., *Sic et Non* c. 125 (PL 178,1546C sqq.).

[132*] Cf. Abaelard., *Sic et Non* c. 123 (PL 178,1544C sqq.).

Que, si consenserit ad commiscendum carnaliter cum illo, quod oportuit ad hoc, quod esset coniugium, videtur minoris meriti esse quam beata Agnes vel Agathes, que nullatenus propter torsuras mamillarum vel ignes consentire voluerunt. Revera inter illos fuit coniugium et ex utraque parte consensus. Maria enim, que proposuerat castitatem servare, volens tamen maledictionem legis vitare, quia maledicta omnis in Israel, que non relinquit semen super terram[438], se totam Deo commisit, ut videlicet, si Deus vellet eam compotem esse sui propositi, quod adeo desiderabat, ita fieri sibi placeret; sin aliter, et ita fieri non refutaret. Et ita maledictione legis constricta contra voluntatem suam consensit Joseph, quem et ipsa tamen virum castissimum prenoverat, ut illum facile ad id, quod vellet, applicaret. Deus ergo quid fecit? Ei videlicet et semen prebuit, ne maledictionem legis incurreret, et celibatus tamen propositum amittere non permisit. Sic et Abraham, ut beatus dicit Jeronimus,[a] [439] cum proposuerit castum esse, quia tamen necessarium erat, ut filios Deo generaret, intelligens etiam futurum legis mandatum per Spiritum, quasi contra voluntatem uxorem duxit. Qui tamen eiusdem meriti virginitatis esse dicitur, cuius est beatus Johannes, qui semper virgo permansit; sicut et ipse Johannes eiusdem meriti martirii, cuius est beatus Petrus, quia Johannes martirio non defuit, sed defuit ei martirium. Maria itaque de merito suo non quicquam minuit, que contra voluntatem consentiens et divinam sue in omnibus preponens et filium ‖ meruit habere et excellentiam virginitatis 126r obtinere.

[133*]Rursus queritur, an inter eos, qui publicum votum faciunt, sit coniugium, veluti inter monachum et monacham, cum ante votum coniuges fuerint, cum videlicet post votum

---

[a] ut beatus dicit Jeronimus] *inter lineas*

---

[438] Locus non in *Vulgata*
[439] Augustinus, *De bono coniugali* lib. 1 c. 24 (PL 40,391)

[133*] Cf. *Sent. Herm.*, c. 31 (PL 178,1746A sq.); *Sent. Rol.*, 272 sqq.

publicum non liceat eos carnaliter commisceri et ita diffi-
nitio matrimonii eis non conveniat.

Sunt utique coniuges, quia, quod dicitur in diffinitione coniugii: *per quam licet eas carnaliter copulari*, sic intelligendum est, ut videlicet illud, licet confuse, accipiatur, acsi
dicatur: per quam licet aliquando.

"Volo autem". Vere non secundum imperium, quia "volo"
omnes, videlicet continentes esse sicut me ipsum. "Uri",
id est dapnari. "Non discedere", nisi videlicet causa fornicationis. "Manere innuptam". Dicit hoc loco beatus Ambrosius,[440] quod, quia vir superior est, licet ei aliam ducere,
et ideo hic de viro tacet. Sed nota aliter se habere matrimonium in tempore Ambrosii et aliter modo, in cuius tempore cognato cognatam licebat ducere. Quod ecclesia postmodum prohibens sanctivit, ut nemo aliquam de parentela
sua duceret, sed de aliena, ut per mulierem parentes mulieris per dilectionem alliceret. Quod a gentibus sumptum est.
Romulus enim, ut fedus firmaret cum Sabinis et eos coad-
iutores faceret, contraxit matrimonium cum filiabus illorum. Quod ecclesia commendans postea tenuit causa videlicet caritatis propagande.

"Alioquin." Sepe "filii immundi" id est infideles perma-
nent; sepe vero "sancti sunt", id est ad fidem veniunt.

"Nisi unicuique", id est nisi unusquisque in pace ambulet,
quemadmodum Deus nos vocavit.

"Circumcisus aliquis". Nota quedam precipi, ut Deum diligere; quedam prohiberi, ut hominem interficere; quedam
permitti, ut uxorem ducere. De his[a] hic etiam agit apostolus, ut beatus dicit[b] Jeronimus,[441] quod palam est ex prece-

---

[a] his] *om.*
[b] dicit] *inter lineas*

---

[440] *Comment. in epist. I ad Cor.* cap. 7 (PL 17,230): "Et virum
uxorem non dimittere." Subauditur autem: excepta fornicationis
causa. Et ideo non subiecit dicens, sicut de muliere: quodsi discesserit, manere sic; quia viro licet ducere uxorem, si dimiserit uxorem
peccantem, quia non ita lege constringitur vir sicut mulier; caput
enim mulieris vir est.

[441] Cf. Pelagius, *Expositio in epist. I ad Cor.* c. 7 (PL 30,767).

dentibus et subsequentibus. Et vocat, inquit, hoc loco apostolus circumcisum solutum, qui videlicet uxorem non habet, cui consulit, ne ducat, dicens: "circumcisus vocatus", id est, qui sine uxore vocatus est ad fidem, "non adducat preputium", id est uxorem non ducat. Consilium est. "In preputio vocatus", id est, qui in coniugio vocatus est, "non circumcidatur", id est non dimittat. Preceptum est. "Circumcisio nichil". Diceret aliquis: Et potest uterque salvari, habens videlicet et non habens. Ita utique, quia "circumcisio" etc., id est ducere vel continentem esse, non facit pretiosum apud Deum, sed "observatio" etc. Ille tamen, qui ducit propter curam, quam habet de uxore, magis devocatur a servitio divino et minuitur pretium illius[a] apud Deum, qui divisus est in Deum et in uxorem. Qui vero non ducit, liberius Deo vacat et est sollicitior in obsequio Dei. Unde etiam beatus Gregorius[442] post susceptam curam super ęcclesia Dei, quia molestum ei erat, quod non poterat in apostolatu creatori suo ita vacare sicut antea in claustro solitus erat, ingemiscens apud se aiebat: Miser ego. Dum eram in claustro, divinis intendebam officiis et sacris studens scripturis tamquam in paradiso eram. Nunc gratia, immo ira Dei apostolicus factus, adeo sum occupatus secularibus, ut nullatenus Deo vacare queam. Cum enim incipio Deum meum glorificare, ecce veniunt quidam clamantes: Domine para milites, qui defendant illos et illos pauperes, qui a tirannis opprimuntur. Illis autem discedentibus astant alii dicentes: Domine, non habemus alium cesarem. Impende nobis necessaria. Romani enim sumus. Quis ergo talibus, inquit, occupatus perfectus esse potest. Et attende philosophum astruere Gregorium perfectiorem esse sine prelatione quam cum prelatione et non tantum premium obtinuisse, quantum obtineret, si ministrationem non habe-

---

[a] illius] *inter lineas*

---

[442] De his querelis cf. Gregorius, *Dialogorum lib.* 1 (PL 77,149 sq.); *Epistolarum lib.* 1 Indict. IX ep. 26 (PL 77,479); *Gregorii Magni vita auctore Paulo diacono* lib. 1 n. 6 (PL 75,43D sq.); *Gregorii Magni vita auctore Joanne diacono* lib. 1 n. 49 (PL 75,84C sq.).

ret. Et hoc Dei disponente clementia, que mavult, ut sanctus ad lucrum multorum de premio minuatur quam solus in premio augeatur.

"Servus vocatus". Idem est, ut beatus astruit Jeronimus,[443] sed aliis verbis dicitur. Servum enim uxoratum appellat, liberum vero, qui sine uxore est. "Servi hominum". Servus hominis est, qui hominem in fine ponit et non Deum. Vel de conditione legi potest hoc capitulum. Quidam enim, qui primitus servi erant, post conversionem dicebant se nemini debere servire. Quod apostolus in multis locis corrigit, ne nomen Christi inimicum facerent.

"De virginibus". Acsi diceret: De uxoratis preceptum Domini, ut dictum est, habeo, sed "de virginibus", id est de continentibus, "non habeo". Sed tamen "do consilium" et possum, tamquam cui credi oportet. Et hoc est "tamquam misericordiam consecutus", hanc videlicet, quod me in officium predicationis elegit, "ut" videlicet "fidelis" minister in domo illius.

"Existimo ergo". Quia videlicet consilium dandum est, ergo demus. Et hoc est: "Existimo hoc bonum", quoniam videlicet "bonum homini sic esse", id est continentem esse. Et hoc "propter instantem necessitatem", id est crebras tribulationes, que matrimonio adiuncte sunt. Quod Tullius attendens, qui, cum uxorem duxerit et illa mortua amici illius persuadere ceperint, ut aliam duceret, aiebat: Expertus sum, quid sit uxor, et ideo nolite me iterum illaqueare. Non enim possum simul vacare et uxori et philosophie. Uxor enim maxime talibus est impedimento. Quippe tabule non habent locum cum collis et fusis uxoris. Unde Plato, ut sui scolares has sordes omnino[a] postponerent, non solum locum solitarium elegit, sed etiam pestilentem. ubi videlicet cotiditie moriebatur aliquis. Quare etiam si

---

[443] Pelagius, *Expositio in epist. I ad Cor.* c. 7 (PL 30,768). Cf. *Comment. in Isaiam prophetam* lib. 15 c. 56 (PL 24,560); *Adversus Jovinianum* lib. 1 n. 11 (PL 23,236); *Comment. in epist. ad Titum* c. 2 (PL 26,619 sq.).

littere alium fructum non haberent, nisi quod coinquinamenta illa fugiunt, permultum[b] comendande essent.

"Ego autem parco vobis", qui videlicet volo vos continere.[c] "Breve tempus". Augustinus,[444] quanto plus aliquis vivit, tanto minus victurus est. Quanto enim capistri plus retro relinquitur, tanto minus ante apparet. Homines tamen in tanta brevitate promittunt sibi vitam et non est adeo senex aliquis, qui annum sibi ad vivendum non promittat. Unde omnis, ut dicit Tullius[445] in libro de senectute, deceptus moritur, quia infra annum moritur unusquisque.

"Ut qui habent uxores". Id est ita sint solliciti, ut videlicet ab obsequio divino propter uxores non devocentur.

---

[a] omnino] *inter lineas*
[b] permultum] *inter lineas*
[c] continere] *sequitur vacuum trium quartarum partium lineae*

---

[444] Augustinus, *Sermo* 38 c. 3 (PL 38,237) : et quanto plus vivit, tanto minus illi restat.

[445] Cato Maior, *De senectute* c. 7 § 24 (ed. C. F. W. Müller, Lipsiae, 1898,139).

"De his autem". Aliud ingreditur in illis notare. Quidam enim erant inter illos, qui bonam fidem habentes de illis, que immolabantur idolis, confidenter comedebant scientes omnia mundis munda,[a] [446] et sua comestione alios offendebant, ita videlicet, quod quidam de infirmis fratribus ad hoc inducti erant,[b] ut cum reverentia idoli idolotita comederent existimantes in illis se aliquid sanctificationis obtinere. Et istud vult apostolus in eis corrigere. Aliud tamen videtur nobis, quod velit apostolus. Gentiles enim, qui primitus imaginem Jovis, Mercurii, Apollinis habebant, post conversionem loco priorum imaginum alias fecerunt et pro illis formis, quas presentes habebant, aliquod donum a Deo obtinere putabant, quod sine illis non haberent. Et ita ex illo ritu gentium in ęcclesia Dei consuetudo immaginum inolevit. Et quoniam tamdiu ista idolatria in domo Domini tolerata est, iam in veneratione ista totus mundus est, ita videlicet, quod unum crucifixum altero meliorem esse iudicant. Greci vero, qui sapientes erant, non retinuerunt in ęcclesiis suis nisi picturas. Legitur tamen de Epiphanio latino episcopo, quod nullam imaginem in episcopatu suo toleravit. Qui quadam die per episcopatum suum proficiscens quandam Christi Jhesu in cripta[c] invenit imaginem in[d] sindone celatam, quam ipse statim dissipavit.[e] Reclusus etiam quidam idem fecit, cui apportate erant tabule, in quibus erant imagines; quas accipiens continue fregit. Quem tamen in registro suo beatus Gregorius[447] legitur cor-

---

[a] munda] *inter lineas*
[b] erant] *inter lineas*
[c] Christi Jhesu in cripta] *inter lineas et in margine*
[d] in] *inter lineas*
[e] dissipavit] vit *inter lineas*

---

[446] Tit. 1, 15
[447] Cf. de sententia *Epistolarum lib.* 9 Indict. II ep. 15 (PL 77,1027 C); *Epistolarum lib.* 11 Indict. IV ep. 13 (PL 77,1128).

rexisse propter scandalum videlicet fratrum sive propter hoc, quod, ut dicit, hoc sunt imagines illiteratis, quod litteratis littere. Sicut enim nobis in memoriam reducunt littere passionem Domini et cetera, que in fide continentur, ita et laici in imaginibus illis non debent accipere nisi memoriam eorum, que non videntur, ut videlicet ex illa memoria compunctiores fiant. Sed populus in istis excedit, qui etiam litteras suas adorat et ex forma, que presens est, putat Deum sibi magis esse propitium. Et ideo,[a] cum in primitiva ęcclesia quacumque dispensatione retente fuerint imagines, postmodum tamen propter infirmos fratres omnino deleri debuerunt, quemadmodum, cum apostolus sacramento circumcisionis ad tempus consenserit, postea tamen omnino removit. ‖ Hos autem idolatras super illum locum: Manus 126v habent et non palpabunt[448] etc. bene deridet beatus Augustinus,[449] quibus murem sapientiorem esse astruit. Mus enim, inquit, ubi vitam non videt, nullam reverentiam exhibet, qui non solum in imagine nidificat, sed etiam in ore cacat et mingit, cuius tamen caput homines venerantur. Hoc ergo corrigens in illis apostolus dicit: "De his autem", quasi dicat: Hanc scientiam bonam habemus omnes, nos videlicet et vos, quod nichil sanctificationis credendum est esse in illis, que imolantur idolis.

Sed tamen "scientia" sepe "inflat", id est inflatum reddit et superbum. Unde et angelus ille, qui lucifer dicebatur, quia alios in scientia et cognitione precellebat, hoc attendens intumuit et ita lapsus est cum membris suis. Non tamen credimus, ex quo[b] creatus fuit, eum corruisse nec etiam cum mundo creatum esse. Imo, ut beatus astruit Jeronimus,[450] mille annis, si anni dicendi sunt, ante creationem mundi

---

[a] ideo] *inter lineas*
[b] quo] *inter lineas*

---

[448] Psalm. 113 (115),7
[449] *Enarratio in Psalmum* 113 (PL 37,1482).
[450] *Comment. in epist. ad Titum* c. 1 v. 2 sqq. (PL 26,594).—Cf. *Summa Sent.* tr. 2 c. 1 (PL 176,82); Abaelard., *Sic et Non* c. 46 (PL 178,1412).

creati sunt angeli, qui, ut dicit beatus Ciprianus,[451] non ante hominis creationem ceciderunt, de cuius creatione accensi invidia attendentes Deum nullam creaturam tantum diligere, contra Deum ceperunt[a] intumescere.[b]

Angelus tamen ille, qui plus cognoscebat, quam alii, numquam bonus fuit,—qui numquam Deum vidit, quia qui semel fruitur visione illa, non amplius illa carebit—sed semper in sua malitia persistebat nec Deus illum statim punivit, imo diu nequitiam illius toleravit, donec dixerit: Ponam sedem meam ab astris.[452] Et tunc primum corruit, cum Deus illum cruciari inceperit, cadens videlicet ab illa dignitate, in qua primitus erat. Veluti si aliquis malitiosus esset in regno alicuius, quem dominus diu tolerans tandem propter aliquod magnum facinus[c] in carcerem intruderet, hic tunc primum cadere diceretur, quamvis tamen pessimus primum extiterit.

Nec iterum putandum est angelum, qui tantam discretionem habebat, adeo stultum esse, ut hoc subito faceret; imo diu cogitare, an id perficere posset; sin autem, quid incommodi posset sibi[d] contingere, et quid ipse contra incommodum posset, confisus videlicet, quod elementa omnia ita contemperaret, ut ex eis nullum cruciatum susciperet, cui omnis rerum phisica cognita erat. Sed fortiorem et sapientiorem rerum mutatorem invenit, qui omnia illi et complicibus illius in contrarium vertit, qui etiam illos in quibusdam corporibus posuit, in quibus sentiunt gelu et estum.

Beatus vero Augustinus[453] plus audet dicere, qui astruit

---

[a] ceperunt] cepurut
[b] qui, ut dicit—intumescere] *inter lineas et in margine*
[c] facinus] fanus
[d] sibi] *inter lineas*

---

[451] Cyprianus, *Liber de bono patientiae* c. 19 (PL 4,658): Diabolus hominem ad imaginem Dei factum impatienter tulit: inde et periit primus et perdidit.
[452] Is. 14,13: In caelum conscendam, super astra Dei exaltabo solium meum.
[453] Cf. *De peccatorum meritis et remissione* lib. 2 c. 29 (PL 44,179): idem ipse Dominus noster hanc suam medelam nullis generis humani

Deum semper secum aliquos habere, quibus gratiam suam impertiret.

"Caritas". Scientia, inquam, inflat, sed "caritas edificat", id est querit, que ad edificationem pertinent.

"Si quis autem." Ad duo premissa duo refert quasi reddens singula singulis. Ad *scientia enim inflat* refert: *si quis autem se existimat* etc; ad *caritas vero edificat: si quis autem diligit* etc., quasi dicat: Vere scientia non edificat, immo potius inflat, quia, si quis "existimat se aliquid scire", non tamen ideo "cognovit, quemadmodum" etc., id est quomodo scientia illa uti debeat. Et vere caritas edificat, quia, si quis "diligit", id est dilectionem Dei habet, "hic cognitus" a Deo.

"De escis". Vere de his, que idolis imolantur, scientiam habemus, quia "de escis", que scilicet idolis sacrificantur, "scimus", quod, videlicet, subaudis, nichil sanctificationis in eis habetur, quia "idolum" etiam "nichil est in mundo", id est non est aliqua de creaturis mundi.

Et rursus scimus, quod "nullus Deus", id est Rector, "nisi unus", a quo videlicet magno gubernatore alii rectores reguntur. Et vere non est nisi unus, ex quo omnia regi habent. Nam "etsi dicantur dii", id est rectores, "sive in celo", sicuti planete, quos philosophi deos appellaverunt, id est rectores mundi,[454] quia mundana ista illis conformantur, que suam temperiem vel intemperiem ex qualitatibus illorum[a] suscipiunt. "Sive in terra", sicuti prelati, qui aliis preesse habent et doctrina et moribus. "Siquidem", id est quia revera, "multi" etc. "Nobis tamen unus Deus", id est unus rector est, qui ex se sufficiens est omnia ministrare, "Pater" videlicet et cetera.

---

[a] illorum] *inter lineas*

---

temporibus ante ultimum futurum adhuc iudicium denegavit eis, quos per certissimam praescientiam et futuram beneficentiam secum regnaturos in vitam praedestinavit aeternam.

---

[454] Plato, *Timaeus*, 40A.—Cf. Augustinus, *Sermo* 241 (PL 38,1138).

[CAP. 9.]

"Ut particeps eius". Ut videlicet non solus salver, sed "particeps eius", id est salutis, que in illo continetur, "efficiar".
"Nescitis" etc. Dixit: omnia omnibus factus sum, ut omnes lucrifacerem[455] abstinendo ab omnibus illis, que cursum meum impedirent. Quod ostendit congrua similitudine, quia videlicet homines in certaminibus suis omnia illa fugiunt, que sciunt cursum suum impedire, cum tamen unus bravium accipiat. Multo ergo amplius debent fideles se ad currendum preparare et ab omnibus, que cursum impediunt, abstinere. Quibus proposita est corona iustitiae, quam non uni cursori, sed omnibus ligitime currentibus dabit Deus. Et hoc est: "Nescitis", fratres, quod "hii in stadio". Stadium, ut aiunt, dicitur octava pars miliarii, a stando dictum. Hercules enim sub uno hanelitu currens quantum potuit, tandem stare cepit, et ex illo illud spatium stadium appellatum est.

"Non quasi in incertum", immo fidus et certus de premio. Non "quasi aerem verberans", id est inanem ictum habens. Inanis enim est ictus, qui non reperit, quod percutiat. Sed ictus meus inanis non erit, quia, etiamsi desint hostes exteriores, interior hostis est, quem mecum gesto, cum quo michi pugna est cotidiana, quia caro adversus spiritum et spiritus adversus carnem.[455a] Et hoc est, quod supponit: sed "castigo corpus meum", id est carnem meam macero et sic "in servitutem redigo", ut videlicet rationi subiaceat. Propter hoc etiam, etsi propter Deum non facerem, "ne" videlicet "forte" etc. Bonum enim nomen plus valet predicatori, ut predicatio illius suscipiatur, quam bona vita.

---

[455] I Cor. 9,22
[455a] Gal. 5,17

"Nolo enim vos". Quia quidam erant, qui putabant sacramenta sola sufficere vita etiam incorrecta. Unde vulgus adhuc sibi blandiens dicit Deum nullatenus velle suum christianum perdere. His hoc loco obviat apostolus removens illud. Et hoc exemplo priorum patrum, qui post omnia mirabilia, que Deus eis ostendit, perierunt,[a] quorum tamen sacramenta multo mirabiliora in oculis hominum erant quam nostra, quamvis et nostra figurarent. Et hoc est: "Nolo" etc., acsi diceret: Vere castigandum est corpus et vita corrigenda, quia "nolo vos ignorare", id est volo vos scire, "quoniam patres nostri omnes", et boni videlicet et mali, "fuerunt sub nube". Cum enim[b] exirent de terra Egipti, Deus eos texit nube, ne ab Egiptiis persequentibus viderentur.

"In Moyse baptizati", id est per Moysem susceperunt sacramenta, que nostrum baptismum designabant. Et hoc "in nube et in mari". Nubes enim figurabat baptismum aque; mare vero aliud genus baptismatis, quod fit in sanguine.

"Escam spiritalem", manna videlicet, que esca spiritalis dicitur, quia cibum anime, corpus videlicet Christi, designat. In ebraico tamen non habetur spiritalis, sed fortis.

"Consequenti eos petra". Petra autem sequebatur eos per desertum, que eis aquam dabat. Vel, ut aiunt, quod mirabilius est, Maria soror Moysi in monili gestabat lapidem, quo deposito ad hostia castrorum, quocumque irent per desertum, prosiliebat aqua. "Petra autem erat Christus", id est significabat Christum, qui dat aquam vivam, ut ipse dicit, salientem in vitam eternam.[456]

Et quia ipse hoc novissimum exponit, priora exponenda esse

---

[a] perierunt] pererunt
[b] enim] *inter lineas*

---

[456] Joh. 4,14

subintelligit. "Sed non in pluribus", quasi dicat: omnibus illis talia et talia operatus est Deus, sed tamen "in pluribus" etc., id est plures illorum non placuerunt Deo. Quod inde apparet, quia videlicet "prostrati sunt" in deserto. Ita enim eos delevit Deus, quod preter duos, Josue scilicet et Caleph, de omnibus, quos de Egipto eduxit, non sunt aliqui terram promissionis ingressi. De his tamen dicit beatus Jeronimus,[457] quod misericorditer prostravit eos Deus, qui illos eternaliter non puniet, quia Dominus, inquit, non iudicabit bis[a] in ipsum.[457a] Quod non est, nisi quod Deus eterna morte non punit aliquem, pro illo videlicet peccato, pro quo temporali punitus est morte.

"Hec autem in figura", ut videlicet exemplo illorum caveamus in similia venire. "Surrexerunt", pransi videlicet et poti, "ludere" ante idolum.[b] "Temptaverunt", scilicet Deum. 127r Et est temptare ‖ Deum pro confidentia ipsius se alicui periculo opponere, quod tamen per se evadere potest, vel appetere aliquod miraculum, ut experiatur, quantum se diligat Deus, quemadmodum illi faciebant dicentes: Numquid poterit nobis parare mensam in deserto.[458]

"Murmuraverunt" desiderantes semper ollas carnium in Egipto. "Ab exterminatore", id est malo angelo vel bono. "In quos fines", id est quibus facte sunt consummationes seculorum per eum, qui dicebat: Consummatum est.[459] "Itaque", id est ad hanc similitudinem. "Temptatio". Tribus modis fit temptatio:[459a] suggestione, delectatione, consensu. Suggestione, cum aliquis alicui suggerit, ut aliquid faciat, veluti si quis alteri diceret: Veni et furemur pecuniam illius et semper divites erimus. Delectatione, veluti si aliquis transiens per virgultum aliquod videat pulcra

---

[a] bis] *inter lineas*
[b] Surrexerunt—idolum] *in margine inferiori*

[457] *Commentariorum in Naum liber* c. 1 (PL 25,1238).
[457a] Nahum 1,9
[458] Psalm. 77,19
[459] Joh. 19,30
[459a] Cf. Gregorius, *Moralium lib.* 4 c. 27 (PL 75,661). Cf. Abaelardus, *Ethica* c. 3 (PL 178,645D).

poma et pulcritudine eorum captus iam in illis comedendis delectatur. Sed nec hec nec illa peccatum est, sed, cum consensus delectationi vel suggestioni adhibetur,[a] peccatur. At vero, si poma illa appetam et multum desiderem et ab illa tamen voluntate propter Deum me retraham, tunc primum apud Deum pretium habeo, cum propter illum, quod volo, ei non consentio, imo meę voluntati divinam prepono. Dicit ergo apostolus, ut temptatio nos non apprehendat nisi humana, que videlicet fit suggestione vel delectatione, sine qua humana vita non ducitur, ut videlicet, si aliquis homo vel etiam diabolus aliquid suggesserit, vel nos ipsi appetiverimus, quod faciendum non est, nullatenus consentiamus.

"Fidelis". Dico: non apprehendat, nec utique apprehendet, quia fidelis est Deus, qui nos vocavit in regnum suum, qui "non patietur vos temptari supra id, quod potestis", ut videlicet gehennam incurratis, imo cum ipsa "temptatione faciet proventum", id est dabit virtutem.

"Propter quod". Hic redit ad idolatriam, a qua incepit, et hoc est[b] "propter quod", id est propter hoc exemplum, quod propositum est vobis in antiquis, "fugite", id est cum magno studio declinate. Et in omnibus istis "loquor" vobis, qui non rudes, immo prudentes esse debetis in Christo. Et ideo vos "ipsi iudicate", id est attendite, quam rationabile sit, "quod dico", ut videlicet idolatriam fugiatis. Quod etiam ammonet vos excellentia vestri sacramenti, propter quod saltim fugere debetis, quia "calix benedictionis", id est potus ille benedictus, cui nos benedictionem imprimimus, "nonne communicatio sanguinis Christi est", id est nonne ostendit nos participare vita illa anime,[c] que per sanguinem Christi designatur. Imo utique. Et iterum "panis, quem frangimus", id est cuius misterium aperimus, "none est participatio corporis", id est nonne ostendit nos esse parti-

---

[a] adhibetur] *inter lineas*
[b] Propter quod—et hoc est] *inter lineas*
[c] anime] *inter lineas*
[d] Christi] *inter lineas*

cipes alterius corporis Christi,[d] quod videlicet est ęcclesia. [134]*Corpus enim Christi, quod in altari habetur in specie panis,[a] significat alterum corpus Christi, quod est ecclesia, cuius nos sumus membra, quod est quasi unus panis, ut iam dicet. Sanguis vero, quia omnis vita in sanguine est, significat vitam anime, que Deo per dilectionem coheret. Et cum sanguis iste sit in calice quasi per se positus, idem tamen in corpore est, quod ibi apparet in specie panis. Sed ideo per se etiam ponitur, ut hec misteria denotentur. Nec mirandum, cum Deus tantam virtutem huic sanguini vel huic corpori dederit, ut in eodem tempore in locis diversis esse possit. Quod, quomodo sit, disserere humana non sufficit ratio, sed in in sola fide consistit.

[135]*Sanguini autem aqua admiscetur in significatione gentium propter illud gaudium magnum, quod factum est in conversione earum in ęcclesia, que ex illis maximum lucrum animarum suscepit. Et ideo aquam, que mobile est elementum et fluidum, voluerunt patres apponi in memoriam conversionis illarum, que mobiles erant et fluxe per omne vitium nulla lege constricte. Unde et facilius converse sunt. Corpus etiam Christi nomine panis significatur, cum tamen panis non sit. Sepe enim prioribus nominibus res designamus, veluti si dicam: hic iacet episcopus. Sicut etiam res ipsas posterioribus significamus vocabulis, veluti: apostolus natus est Tharso. Et, ut dicit beatus Jeronimus,[460] ne[b] glorientur iudei de antiquitate suorum sacramentorum, quia hoc nostrum sacramentum illorum precessit sacramenta in Melchisedech, qui panem et vinum in suo habebat sacrificio.

---

[a] in specie panis] *inter lineas*
[b] ne] *add. et del.:* ronimus

---

[460] Cf. *Liber hebraicarum quaestionum in Genesim* (PL 23,1010 sq.).

---

[134]* Cf. *Sent. Herm.* c. 29 (PL 178,1741A sq.) ; *Sent. Flor.*, 30; *Sent. Rol.*, 215 sq.
[135]* Cf. *Sent. Herm.* c. 29 (PL 178,1742A) ; *Sent. Flor.*, 30; *Sent. Rol.*, 231.

Dicunt tamen iudei hunc non fuisse sacerdotem, qui, ut aiunt, ubi habemus in translationibus nostris in designatione illius sacerdotem, habent ipsi servientem Dei. Nec alicubi, ubi scriptura de illo loquitur, dicunt se vocabulum habere, quod sacerdotium notet, nisi omnibus electis commune. Nos tamen eum sacerdotium habere astruimus. Quod etiam confirmat^a apostolus,^b cui credendum est, qui eum in sacerdotio Christi tipum gessisse assignat.

"Quoniam unus panis". Bene dixi: est participatio corporis, id est ostendit nos^c participes corporis Christi, quod est ecclesia, cuius nos sumus, ut diximus, membra, quia "nos" omnes "sumus unus panis". Sicut enim unus panis ex multi granis conficitur, ita ecclesia, que est corpus Christi, ex multis fidelibus. Et quemadmodum grana per excussionem a paleis separantur, ita fideles ab infidelibus per predicationem; deinde per exortionem moluntur in ieiuniis, in abstinentiis multis, et tandem conspersi^d aqua baptismatis et igne decocti, de quo dictum est: ignem veni mittere in terram,^{460a} efficiuntur panis unus, ut in corpus Christi transeant.

"Emulamur", id est ad iram provocamur.

"Libertas mea", id est conscientia mea, que libere iudicat omnibus uti.

"Quid blasfemor", id est quare sustineo blasfemiam incurrere.

"Sive ergo". Quia videlicet omnia debetis ad honorem Dei applicare: ergo "sive manducatis" etc., ut Deus videlicet in omnibus, que facimus, glorificetur et finis in singulis ipse constituatur; ut, si quis etiam uxorem duxerit, propter Deum ducat, ne eum per fornicationem offendat.

---

^a confirmat] confirmant
^b apostolus] *add. et del.* cum
^c nos] *inter lineas*
^d conspersi] *conpersi*

---

^{460a} Luc. 12,49

"Laudo autem". Quia hactenus aspere illos increpavit, ne desperent, modo eis blanditur, quasi dicat: Licet vos aliquantulum[a] asperaverim, "laudo vos", quod adhuc "per omnia" etc. Et ideo, quia videlicet tenetis, "volo vos" et istud "scire", quia nisi tenerent, frustra eis preciperet. Et ingreditur illos corrigere, quia mulieres illorum in ecclesia non velato capite orabant, viri vero econtrario; quod non decebat. Et ad hoc ostendendum premittit quedam tamquam quoddam ordinans predicamentum, in quo mulierem ponit quasi specialissimum; deinde virum capud mulieris, postmodum Christum capud viri; ad ultimum Deum tamquam generalissimum, cuius predicatio ad singula venire docet, quia omnia ex Deo sunt. Et hoc est "omnis viri" etc. Et nota, quod de sexsu hic agit preferens sexum sexui, non dico, personam persone.

"Quoniam imago et gloria", id est expressior Dei similitudo, quia sicut Deus preest rationabilibus creaturis, ita et vir mulieri,[b] quia mulier[c] "gloria viri". Vir enim in hoc apparet gloriosus, non quod sic ipse preest inrationalibus, quemadmodum mulier, sed quia rationalibus animantibus, quibus mulier non preest.

"Non enim vir". Et merito preest vir mulieri, quod etiam creatio illorum requirebat, quia videlicet "vir non est ex muliere", ex costa videlicet mulieris factus, sed mulier ex costa viri. "Ideo". Et non solum propter hoc debet caput suum in ecclesia velare, sed etiam "ideo debet potestatem", id est velamen in capite designativum potestatis, "propter angelos", id est ministros ecclesie, ne videlicet videntes illas in concupiscentia earum exarserint et ita peccent.

---

[a] aliquantulum] anliquantulum
[b] mulieri] *om.*
[c] mulier] mulieri

"Contentiosus". || Dixi, ut^a mulier velato capite oret in 127v
Ecclesia. Sed tamen, si quis voluerit contra hoc contendere,
ad ultimum hanc rationem pono, quod videlicet "nos" apostoli, quibus credendum est et assentiendum, "talem non
habemus consuetudinem neque ęcclesia", quam nos instrui-
mus. Et ideo "hoc", quod videlicet dictum est, "precipio".
Est tamen consuetudo apud homines, ut virgines eorum, que
nundum nupserunt, intrent ęcclesiam non^b velatis capitibus,
quod est signum eas nundum sub iugo viri esse. Que ex quo
nubunt, statim velant caput.

Precipio, inquam, "non laudans" etc. Aliud in eis arguere
ingreditur, quia videlicet in ecclesiam Dei non convenienter
conveniebant, immo in litibus et dissensionibus multis, ut
ipse dicit, sive de^c eulogiis sive etiam de eucaristia. Alii
enim dicebant, corpus Domini a ieiunis sumendum esse, ut
devotius acciperetur; alii vero a pransis, et hoc exemplo
Domini, dicentes christianos debere ambulare, sicut et
Christus ambulavit, qui post cenam panem accipiens benedixit, fregit et dedit.[461] Rursus, in communi conventu ad
accipiendum corpus Domini quidam impediti secularibus
non aderant, qui postmodum venientes et panem suum de-
ferentes cum familiis suis in ęcclesia Dei comedebant. Alii
autem postea supervenientes volebant de pane illo edere;
sed illi nolebant eis dare, imo dicebant, ut et ipsi similiter
panem suum afferrent et consecratum cum familiis suis
ederent. Illi autem econtra panem illum et vinum astruebant esse communia omnibus et illius panis unum esse ero-
gatorem, scilicet ministrum altaris, qui personam Domini
gerebat. Et illum panem communem esse vel vinum con-
vincebant ex canone misse, qui ad omnes spectat, et ex
auctoritate Domini, qui unus distributor aiebat: accipite ex
hoc omnes.[462] Has autem scissuras id est dissensiones vult

---

^a ut] ne
^b non] *inter lineas*
^c de] *inter lineas*

---

[461] Matth. 26,26
[462] Cf. I Cor. 11,24

apostolus recidere et inde incipit dicens: "non laudans, quod" etc., id est, quod tales conventus in ęcclesiam Dei habetis, quos non oportet, qui potius convenitis ad dampnationem vestram quam ad salutem.

"Primum quidem". Et vere in deterius, quia in conventu vestro inprimis "audio scissuras esse", id est dissensiones, quas iam diximus, et eas, etsi non omnes, tamen "ex parte", id et aliquas, "credo" inter vos esse.

"Nam oportet". Dixi: ex parte credo et bene, quia "oportet" non solum, dico, dissensiones quaslibet, verum etiam "hereses esse". Heretici autem, ut dicit beatus Augustinus,[463] non sunt nisi christiani, qui fidem christianorum infestant, ut aliquos suis cavillationibus decipiant. Et non dicuntur heretici nisi ex contentione, qui videlicet, ut quasi singulares homines videantur esse, sectam quandam eligunt et electam, quamvis malam esse deprehenderint, ne victi esse putentur, ex contentione defendunt. De quibus dicitur: Non communicabo cum electis eorum.[463a] Heresis enim pro electione sive bona sive mala accipitur. Unde IIIes hereses dicuntur fuisse in antiquo populo, una Phariseorum, alia Saduceorum, tertia Esseorum, que multum commendatur. Hereses tamen hodie illas electiones esse dicimus, que contra fidem ecclesie ex contentione fiunt. De quibus hoc loco apostolus: "oportet hereses esse, ut" videlicet "illi, qui probati sunt", id est, qui aliis prevalent in disserendis illis et defendendis, que ad fidem pertinent, qui adhuc latent, postremo tamen heresibus pullulantibus "manifesti fiant" confutando et omnino convincendo hereses illas. Isti autem viri ęcclesie Dei multum necessarii sunt et presertim primitive ęcclesie necessarii erant, cum magis habundarent heretici et pauciores essent, qui possent eis resistere. Heretici enim confisi in argumentis suis simplices christianos et idiotas facile in sermone capiebant, veluti Manicheus, de quo

---

[463] Cf.*De Civitate Dei* lib. 18 c. 51 (PL. 41,612 sq.) ; *De baptismo contra Donatistas* lib. 4 c. 16 (PL 43,169).

[463a] Psalm. 140,4

narrat beatus Augustinus,[464] qui, ut primus inter alios videretur, astruebat non omnes creaturas a Deo creatas esse. Unde quadam die, cum quidam simplex christianus ad solem sederet et Manicheus, ut dicit beatus Augustinus,[465] iuxta illum esset, cepit musca caput illius idiote pungere; ipse autem volens muscam percutere, caput suum percutiebat. Musca revertens iterum et iterum eum infestabat. Ille autem rursus muscam, que statim avolavit, volens ferire, seipsum feriebat, et tandem iratus cepit ei maledicere. Manicheus ergo audiens maledictionem musce volens illum illaqueari et iam locum habens ait illi: Frater, ideo nego huiusmodi creaturas, que hominibus nocent, Deum creasse. An putas ergo, quod diabolus talia creaverit.—Idiota: Credo, inquit, quod Deus numquam, quod homini noceat, creat.—Manicheus autem hoc idem in ave ostendens tandem ad hominem venit et ita pedetemptim illaqueatus est illum, ut nec etiam omnem hominem a Deo creatum esse ei astruret.

Contra huiusmodi cavillatores illi, qui probati sunt, resistunt et, sicut David Goliam proprio gladio interfecit, ita illos propria armatura, id est argumentis, in quibus confidebant et suas hereses sanctiunt,[a] convincunt. Unde, ut beatus dicit Augustinus,[466] dialectica sacro eloquio permultum necessaria est, que claudit et nemo aperit, et aperit et nemo claudit.[466a] De cuius laude beatus Augustinus[467] in

---

[a] et suas hereses sanctiunt] *in margine*

---

[464] Cf. *Contra epist. Manichaei* lib. 1 c. 13 (PL 42,182).—*In Johannis evangelium* tract. 1 c. 1 n. 14 (PL 35,1386).

[465] *In Johannis evangelium* tract. 1 c. 1 n. 14 (PL 35,1386). Sed nequaquam ad verbum.

[466] Cf. Augustinus, *De doctrina christiana* lib. 2 c. 31 n. 48 (PL 34,58).

[466a] Is. 22,22

[467] *De ordine*, lib. 2 c. 13 n. 38 (PL 32,1013): ... proderetque ipsam disciplinam disciplinarum, quam dialecticam vocant? Haec docet docere; haec docet discere; in hac se ipsa ratio demonstrat atque aperit, quae sit, quid velit, quid valeat. Scit scire: sola scientes facere non solum vult, sed etiam potest.

libro fidei christiane videtur etiam excedere, qui ait: Disciplina disciplinarum, quam dialecticem vocant, hec docet docere, hec docet discere, hec sola scientes facere non solum vult, sed etiam potest.

"Convenientibus ergo". Quia videlicet convenitis non sicut oportet, igitur causa est[a] "vobis convenientibus", id est in conventu vestro, "non est" etc., id est non est cena Domini, que omnibus proposita est et omnibus est communis, quia "unusquisque" vestrum "suam", id est propriam cenam "presumit ad manducandum", quod non convenit fieri ad mensam Domini.

De sacramento altaris videndum est, quare in his speciebus Dominus fieri voluit; deinde de verbis illis dominicis, que ad commendationem illius spectant. [136*]Speciem autem panis in hoc sacramento ideo retinuit Dominus, ut sufficientiam et perfectionem illius ostenderet. Non enim cibus est aliquis, qui ita valeat sicuti panis,[b] qui etiam solus ad sustentationem hominis sufficit, quia panis cor hominis confirmat.[468] Vinum etiam voluit esse, ut letitiam illam anime designaret, quam habemus per immolationem huius hostie. Non est enim liquor, qui ita hominem hilarem reddit, quemadmodum vinum, quia vinum letificat cor hominis.[468a] In prioribus autem fidelibus, qui liberationem suam expectabant,[c] etsi magna esset letitia, non tamen tanta, quanta est hodie in fidelibus, qui statim post hanc cenam in peccatum redeunt omni repagulo remoto.

Quid autem corpus Christi, quod in altari est, quid sanguis

---

[a] causa est] *inter lineas*
[b] sicuti panis] *inter lineas*
[c] qui liberationem suam expectabant] *inter lineas*

---

[468] Psalm. 103,15
[468a] Psalm. 103,15

[136*] Cf. *Sent. Herm.* c. 29 (PL 178,1741D sq.); *Sent. Flor.*, 29; *Sent. Rol.*, 228.

significet, dictum est supra.[468b] Quare etiam aqua vino admiscetur.[468c]

[137*]Nunc de verbis Domini videamus, que sunt: Nisi manducaveritis carnem filii hominis et biberitis eius sanguinem, non habebitis vitam in vobis.[469] Et: Qui manducat carnem meam et bibit sanguinem meum, habet vitam eternam.[470] Hec autem de ipso sacramento non possunt esse generaliter dicta,[a] cum nonnulli sint, qui ad dampnationem sumunt; multi etiam, qui non comederunt et tamen vitam ingressi sunt.[b] Quod in prioribus palam est. Unde hec verba potius ad commendationem huius sacrificii spectant, que sic debent intelligi, acsi dicatur: Nisi ista refectio carnis meę et dilectionis exhibitio satis est vobis, que vos in summam dilectionem accendat, non est ulterius, quod a me expectetis fieri, per quod salvemini. Et de talibus: qui manducat habet vitam eternam,

"Fregit", id est misterium aperuit. "Hoc est corpus", ecce fractio. "Hic calix," id est iste potus; continens pro contento. "Novum testamentum", id est attestatio dilectionis vobis exhibite, "in meo sanguine", id est per mortem meam. "In meam commemorationem", ut videlicet passionem meam in memoria habeatis. Sic enim sacerdos ad oblationem huius hostie debet accedere tanquam ante se Christum in cruce videret. "Reus erit", id est ad dampnationem sumit. "Non diiudicans corpus", id est non attendens, quanta cum reverentia sumendum est.

"Dormiunt multi", id est, ut sancti dicunt, moriuntur statim. Vel "dormiunt multi", id est pigri fiunt.

"Quod si". Ita punit Deus eos, qui indigne accedunt. Sed si "diiudicaremus nosmetipsos", id est vitam nostram corrigeremus, "non utique iudicaremur",[c] id est puniremur vel

---

[a] generaliter dicta] *inter lineas*
[b] sunt] *inter lineas*
[c] iudicaremur] di[iudicaremur]

[468b] Cf. p. 258
[468c] Cf. p. 258
[469] Joh. 6,54
[470] Joh. 6,55

dampnaremur. Sed tamen, dum "iudicamur", id est damp-
namur a Domino, nos alii "corripimur", id est vitam nostram corrigimus et salvamur, ne videlicet cum impiis dampnemur. Et hoc est "ut" videlicet "non dampnemur", id est
pereamus "cum hoc mundo", id est cum infidelibus, qui tamquam mundus sunt, id est insensibiles, qui de Deo non sentiunt, que oportet.

"Itaque", quasi dicat: Et ne ad iudicium vestrum sumatis, igitur "cum" videlicet "ad manducandum convenitis",
in conventu illo "invicem expectate", unus videlicet alterum,
ut simul sumatis et esus ille sit omnibus communis.

"Si quis". Expectate, dico. Sed, si quis tante esuriei est,
qui expectare non possit, laudo, ut prius domi comedat,
quam in esu illo fratribus scandalum faciat et ipse ad iudicium sibi sumat. Et hoc est "si quis esurit".

‖ "Paulus"[a] etc. Correcti erant Corrinthii post predictam 128r
epistolam, et illum, propter quem precipue scripta erat, qui
videlicet novercam duxerat, expulerant. Quibus et hanc
epistolam iterum scribit, ut illum recipiant, quia quidam
inter illos erant, qui eum oderant et dicebant non esse reci-
piendum nisi auctoritate apostoli, quemadmodum auctoritate illius expulsus erat. Quos et in sequentibus tangit.
Rogat ergo eos, ut illum iam correctum recipiant, ne in
desperationem veniat. Quidam etiam inter illos adhuc incorrecti erant, quos ipse corrigit. Rursus illos rogat, ut eos
notent, id est pseudoapostolos, qui verbum Dei adulterantur
nec secundum instructionem ewangelii ambulant. Suam
etiam personam commendat, quia inter illos multi erant, qui
ei derogabant et, quantum poterant, detrahebant. Rursus
quidam apud illos erant in magnis tribulationibus, quos ipse
consolatur rogans, ne deficiant[b] et hoc exemplo sui et aliorum apostolorum, quos Deus ita consolatur, quod et ipsi possunt alios consolari. De quibus tribulationibus statim in
exordio agit.

---

[a] Paulus] aulus
[b] deficiant] *correctum ex* deficiens

Propter has itaque omnes causas hanc secundam scribit
epistolam et more suo salutationem premittit dicens:
"Paulus apostolus cum omnibus sanctis", id est fidelibus,
"qui sunt in universa Achaia", quia Corinthus, ut supra
meminimus, est civitas metropolis in Achaia.
"Benedictus". A laude Dei inchoat, qui ita suos sustinet et
tam potenter in omnibus tribulationibus eos confirmat. Et
hoc est "benedictus", id est laudatus sit a nobis "Deus pater
Domini nostri Jhesu Christi", qui videlicet hunc filium nobis genuit ad utilitatem nostram, quem et pro nobis omnibus tradidit. Et ideo "pater misericordiarum", quia proprio filio non pepercit propter nos. "Totius consolationis",
id est anime et corporis. Vel^a "totius consolationis", id est
integre et perfecte. "Qua exhortamur", passive. "Non
enim volumus". Ne putaret eum quis fingere, ostendit de
tribulationibus, quas nuper passus fuerat, quasi dicat: Et
bene dixi: quas et nos patimur, quia "non volumus", id est
volumus vos scire, "supra virtutem", scilicet hominis, sed
divina virtus nos sustentabat.
"Responsum". Quasi dicat: Consulueram^b me ipsum de
vita mea, set respondit michi mea infirmitas, quia mors
michi imminebat. Et quare permisit nos Deus in istas tribulationes venire? "Ut" videlicet "non simus fidentes", id
est non habeamus fiduciam, sed "in Deo", qui et maiora
facit, qui videlicet, cum voluerit, "mortuos suscitat", "eri-
piet" et hoc "adiuvantibus" omnibus "vobis in oratione pro
nobis". Etsi enim non omnes valeatis predicare, omnes
tamen orare volumus, ubi omnes locum habent. Simplicium
enim oratio sepe efficacior est, qui videlicet compunctius et
devotius Deum orant. Adiuvantibus, dico, "ut" tandem oratione vestra completa "gratie agantur pro nobis", id est

---

^a Totius consolationis—Vel] *in margine*
^b consulueram] *correctum ex* consueram

laudes Deo reddantur pro beneficio nobis exhibito per orationem vestram. Et hoc "per multos". Agantur, dico, "ex
personis multarum facierum", id est diversarum discretio-
num. Facies enim pro notitia in sacro eloquio poni solet.
Facierum, dico, "eius donationis", id est secundum dona
Dei, que in nobis sunt. Gratia enim Dei, prout vult, discretionem impertit singulis. Et bene potestis pro nobis
orare, ut impetretis, quia "gloria nostra" etc. Unde alius
apostolus: Si cor nostrum nos non reprehendit, fiduciam
habemus apud Deum,[471] quod videlicet "in simplicitate" etc.,
id est pura intentione, Deo servimus, qui Deum in fine ponimus et non carnalia, quemadmodum sapientes huius mundi.
Immo "in gratia Dei", id est in amore Dei "conversati"
sumus "in hoc", et hoc est "non in sapientia carnali", cuius
videlicet cauda argentea est.

"Non enim". Diceret aliquis: Tu fortasse vis modo querere? Non utique, quia modo "non alia scribimus quam, que
legistis" in priori epistola. "Quia gloria vestra sumus",
quia videlicet talem habetis apostolum, qui de predicatione
victum non querit. "Et vos nostra", quia et de vobis glorior
apud illos, qui me interrogant de predicatione mea, qui
videlicet talem populum Deo conquisivi. Et ista mutua gloriatio erit usque "in die" etc., id est in fine vite nostre.

"Qui nos unxit". Ut sepe dictum est,[a] lex dura habuit
mandata. Moyses enim quasi ferro incidebat et homines
cohercebat dicens: Dentem pro dente, oculum pro oculo[472]
etc., per que nolentem etiam ad obedientiam legis trahebat.
Unde legitur in Exodo duras manus habuisse et graves, quia
nemini parcebant. Christus vero suavia precepta afferens
delibutus unguentis venit. Unde in Canticis dicitur: Cur-
remus in odorem unguentorem tuorum,[473] id est sequamur
suavitatem preceptorum tuorum non coacti, sed voluntate

---

[a] est] *inter lineas*

---

[471] 1 Joh. 3,21
[472] Exod. 21,24
[473] Cant. 1,3

ducti. De quibus preceptis dicit ipsa veritas: Iugum meum
suave est et onus meum leve.[474] Que suavitas preceptorum
nos Deo attraxit. Et hoc est: qui "nos unxit", id est qui
per unguenta legis sue nos ad se traxit. Et "signavit", id
est discrevit in donis. Et "dedit pignus", id est arram,
"Spiritum Sanctum", id est amorem suum, qui sanctos facit,
qui videlicet vos securos reddit de bravio, quod speramus.
"Ego autem". Reddit causam, quare, cum ad eos venire
proposuerit, non venerit: Quia in hoc ipso, quod non venit,
eis pepercit, ne tristitiam super tristitiam haberent, quia
etiam adhuc quidam incorrecti erant. Ad quod confirman-
dum quasi sacramentum premittit dicens: "Ego" etc.
"ultra", scilicet Troiadem, ubi erat, sicuti iam dicet. Vel
"ultra" primam vicem. Et hoc non ideo dicimus, quia veli-
mus dominari vobis, qui iam creditis. Quod quidam hodie
faciunt, qui subditis suis volunt dominari, qui et in clero
suo violentiam exercent, quibus etiam vi sua auferunt et
quos recedentes sequitur maledictio.

"Nam". Bene dixi: fidei vestre, quia "fide statis", id est
erecti estis[a] ad Deum ab[b] idolatria videlicet, in qua primitus
eratis.

---

[a] Estis] *inter lineas*
[b] ab] ad

[474] Matth. 11,30

[Cap. 2.]

"Nisi qui contristatur", scilicet correctus. "Et hoc ipsum", quasi dicat: Et ideo priorem epistolam direxi ad vos, "ut, cum venero" etc. "Quia meum gaudium", id est meum gaudere vestrum est. "Nam ex". Quia videlicet dicis, ne haberem tristitiam super tristitiam, tristitiamne prius habuisti? Ita utique, quia "ex multa tribulatione", id est tristitia, quam habui super his, que de vobis audieram. "Ut non contristemini", scilicet adversus me. Imo attendatis, quanto affectu scripserim vobis, qui ita doleo de vestra infirmitate, quia, quis infirmatur et ego non infirmor?[475]

"Si quis autem". Quasi dicat: Tristitiam de vobis habui. Sed tamen si quis me "contristavit", "non me contristavit", id est non ex odio contristatus sum adversus illum sicut quidam vestrum. Quidam enim inter illos erant, qui ex odio illum, qui novercam duxerat, dicebant non esse suscipiendum, quamvis iam correctum, nisi auctoritate apostoli. Quos hic tangit. Et hoc est "non me contristavit", id est ad tristitiam ex odio non traxit. Sed vos, non dico, omnes, immo "ex parte", ne videlicet "omnes vos honerem", id est ideo ex parte dico, ne inde vos omnes tangam.

"Obiurgatio", id est hec abiectio et vilitas, "ne forte habundantiori tristitia absorbeatur", id est ne in desperationem veniat. "Propter quod", ne videlicet desperet, "obsecro", non ut habeatis "caritatem", sed ut iam habitam vel a vobis vel ab illo "in illum confirmetis" recipiendo illum in ecclesiam. "Ut non circumveniamur a satana", qui ovibus Christi insidiatur, ut, si quam vagantem extra ovile et sine pastore errantem invenerit, rapiat.

"Cum autem". Dixit, quod parcens non ad eos venerit. Vult etiam culpe illorum, quod non venerit, imputare, quia videlicet miserat Titum discipulum ad illos, qui cum illis

---

[475] II Cor. 11,29

multum moratus est, quoniam ei nolebant obedire, sed semper recalcitrabant. Ipse vero interim, cum venisset Troiadem putans Titum ibi invenire, sicut et ei dixerat, et multa corda parata essent suscipere verbum Domini, inde tamen recessit, quia videlicet Titum non habebat, qui multum manutenebat apostoli predicationem, quoniam ille expeditus erat in lingua greca, qui et predicationem, cum opus esset, exponebat aliis. Apostolus enim non volebat predicare, nisi semper aliquem haberet secum, qui predicationem suam sustentare posset.

Continuatio: Dixi, quod parcens non veni. Sed tamen culpe vestre imputari potest, quia, cum "venissem Troiadem propter ewangelium Christi", id est ut Christum predicarem, et "hostium michi apertum in Domino", id est multa corda parata essent meę predicationi assentire per Dominum. "Non habui requiem spiritui meo", id est non requievit spiritus meus apud illos, "eo" videlicet, "quod non invenerim Titum, fratrem meum", qui me iuvaret.

"Deo autem". Hic incipit personam suam commendare contra quosdam, qui ei multum detrahebant. Quod quandoque, ut beatus astruit Gregorius,[476] valde necessarium est. Sicut enim, inquit, magne humilitatis est,[a] linguas derogantium tolerare, ita summe prudentie, quandoque compescere, ne, si semper derogent, predicatio nostra non habeat efficaciam propter aliquam suspicionem infamie, quod multum predicatori obest. Ut enim dicit beatus Augustinus in libro de moribus,[477] duo sunt necessaria clero: fama et vita; fama proximo et vita sibi. Predicatori enim, cuiuscumque sit vite, bona fama necessaria est, ut eos, quibus predicat, lucretur Deo. Et ideo sepe in laude sua aliquid dicit apostolus, ut bonam suam existimationem servet. ‖ Et hoc est "Deo gratias", scilicet reddimus, qui videlicet "semper tri-

128v

---

[a] est] *inter lineas*

---

[476] *Moralium lib.* 19 c. 23 n. 36 sq. (PL 76, 121); *Homiliarum in Ezechielem lib.* 1 hom. 9 (PL 76,878).
[477] Mixtim *De moribus ecclesiae catholicae lib.* 1 c. 32 n. 69 (PL 32,1339) et *De bono viduitatis liber* c. 22 n. 27 (PL 40,448).

umphat nos", id est triumphatores nos facit. Victor enim
semper dicendus est, qui id obtinet, pro quo dimicat, sicut
econtra victus, qui illud, pro quoᵃ pugnat, non assequitur.
Quo modo martires triumphatores dicimus, et illos, qui eos
persecuti sunt, triumphatos, quia hii obtinuerunt, pro quo
dimicuerunt; illi vero nequaquam. Decius enim, cum ad
hoc tenderet, quod Vincentium negare Christum faceret, et
Vincentius, quod in fide Christi perseveraret, Decius non
optinuit, pro quo pugnavit, Vincentius vero, pro quo dimica-
vit, assecutus est. Triumphat, dico, "in Christo Jhesu", id
est per Christum Jhesum. Et ita "manifestus odor", id
est nos manifestos facit, qui sumus odor "notitie sue", id est
Christi, per quem Pater mundo congnitus est, cuius odor
dicuntur apostoli, quia, quemadmodum res aliqua occulta vel
in archa reposita ex flagrantia sua ad notitiam venit, ita per
apostolos Christus. In quibus potest cognosci, quantus est
Dominus, qui tales habet ministros.

Manifestat, dico, "per nos", utendo scilicet nobismetipsis
tamquam adminiculis suis in predicatione filii. Et hoc "in
omni loco", quia in omnem terram exivit sonus eorum,[478]
"quia Christi", bene dixi, odorem manifestat, quia "nos
sumus odor bonus Deo", id est placens in omnibus, quibus
predicamus, tam bonis quam malis. Et hoc est "et in his,
qui salvi, et in his, qui pereunt". Et vere odor sumus in
utrisque, quia istis odor mortis, illis vero odor vite. Et hoc
est "aliis quidem odor mortis", id est peccati, quod est mors
anime. Quidam enim nostram bonam conversationem videntes de bono, quod in nobis congnoscunt, nobis invident et
invidendo peccant, ut videlicet hic mori incipientes tandem
moriantur in gehenna. "Aliis vero odor vite in vitam",
qui videlicet nostram predicationem suscipiunt, ut hic viventes per iustitiam tandem vivant in fruitione divinitatis.

"Et ad hec". Acsi diceret: Et ad hec omnia, que dicta sunt
de nobis apostolis, "quis", videlicet talium, qui inter vos,

ᵃ quo] *inter lineas*

---

[478] Rom. 10,18

sunt, id est pseudoapostolorum, qui apud vos locum habent, "idoneus" est ita, quemadmodum nos sumus.

"Non enim". Diceret aliquis: Et vos estisne magis idonei?—Revera; quia nos in predicatione nostra non "sumus sicut plurimi adulterantes verbum Dei", id est corrumpentes, quia finem nostre predicationis non ponimus commoda terrena, quemadmodum illi, qui ea, que faciunt, ad eum finem, ad quem debent, non referunt. Et ideo verbum Dei huiusmodi dicuntur adulterari, veluti eum, qui se alteri dat quam sue, dicimus adulterium facere.

"Sed ex sinceritate". Non sumus, inquam, adulterantes, "sed ex sinceritate", id est pura intentione et sincera in Deo, "loquimur", id est predicamus. Quod exponit, quasi dicat: ita videlicet, "sicut" ex "Deo", scilicet instructi, "in Christo", id est in doctrina Christi. Et quia hoc possunt habere illi, qui caudam argenteam faciunt, addit: "coram Deo", id est ita, quod Deo placemus, quem finem in omnibus constituimus.

"Incipimus". Quia illi possent dicere: Semper se vult laudare homo iste, quasi reos habeat vicinos, non attendens: Non te laudet os tuum, sed alienum,[478a] contra hos ponit, quasi dicat, quia videmur quedam ad commendationem nostram dicere, "incipimus iterum", id est non tantum in aliis, sed et in his iterum statuimus nos finem commendationis nostre, quemadmodum illi, qui, que sua sunt, querunt? Quasi dicat: Nequaquam.

"Aut" iterum "numquid egemus commendatitiis epistolis", id est, ut aliquam epistolam dirigamus ad vos, que nos vobis commendet, vel, ut vos etiam rogati ad alios dirigatis, ut apud illos commendemur?

"Epistola nostra". Vere non egemus, quia vos estis "epistola nostra", in quibus omnes possunt legere, quales nos sumus. Et que sint opera nostra, in vobis manifestum est. Et hoc est vos estis "epistola nostra", ubi instructio nostra et doctrina continetur. Epistola, dico, "scripta in cordibus nostris", id est coherens nobis per amorem. "Que", scilicet epistola, "scitur", id est cognoscitur "et legitur" ab "omnibus hominibus" tam fidelibus quam infidelibus.

Vos, dico, "manifestati, quoniam" etiam "epistola Christi estis", in quibus videlicet doctrina, que vobis a nobis tradita est, doctrina et instructio Christi est, que omnibus in vobis patet tamquam in epistola ad legendum. Epistola Christi, dico, "ministrata", id est per nos tamquam ministros suos predicata et "scripta, non atramento", sed "Spiritu Dei vivi", id est dilectione Dei, que intus latitat, non operibus, que extra apparent, in quibus prior populus potius iustitiam suam posuit. Scripta, dico, "non in tabulis lapideis", id est duris cordibus, quemadmodum epistola Moysi, que scripta erat in lapidibus, ad presignandum etiam[a] duritiam illorum, qui dicti sunt populus dure cervicis, sed "in tabulis cordis carnalibus", id est carneis cordibus. Unde Dominus per

---

[a] etiam] *inter lineas*

[478a] Prov. 27,2

prophetam: Auferam, inquit, cor lapideum et dabo vobis cor carneum.[479]

"Fiduciam autem", quasi dicat: Et in omnibus istis "fiduciam" de vobis ipsis "per Christum ad Deum habemus", de vestra videlicet remuneratione, "talem", id est hanc etiam, "non quod" videlicet "sufficientes simus a nobis", id est ex nostra virtute, etiam "cogitare aliquid", quod videlicet valeat, sed "sufficientia nostra", id est, quicquid possumus, ex divina procedit potentia.

"Idoneos". Qui videlicet non querimus, que nostra sunt, sed que Jhesu Christi.

"Novi testamenti", id est ewangelii.

"Non littera, sed spiritu". Quasi dicat: Tales nos fecit, quod in predicatione nostra exteriora opera legis non attendimus, que pretium apud Deum non habent, que non quicquam ad salutem prosunt, immo ea, que intus sunt, id est in mente, que gloriam tantum habent apud verum iudicem, quia gloria filii regis ab intus, id est ab interioribus, est, non ab exterioribus, in quibus iudei querunt iustitiam, qui tantum in littera occupati sunt nichil misticum ibi volentes intelligere;[a] sed totum ad historiam reducunt in operibus legis tantum habentes fiduciam, ut, si illa exteriora fecerint, quicquid cogitent vel quantumcumque velint concumbere cum uxore alterius et non faciant, audeant dicere, quia numquam peribunt, si etiam cum mala voluntate moriantur. Cuius rei tipum gessit Esau, qui exivit foras, ut de exterioribus animalibus patrem reficeret. Ita et iudeus non attendens: ne te quesiveris extra,[479a] semper Deum placare de exterioribus querit; Jacob vero de domesticis animalibus[b] refecit patrem. Sic et nos, qui significamur per Jacob, cotidie de interioribus nostris Deum placamus, qui ei per dilectionem coheremus, qui videlicet in littera occidente non sumus, sed sub spiritu, qui vivificat.

"Littera enim". Et merito non littera, sed spiritu, quia "littera occidit", id est opera exteriora attenta, secundum quod littera sonat, legentes interficiunt, qui ea credunt ad salutem sufficere. Sed "spiritus", id est amor Dei, qui in mente est, "vivificat", qui in ewangelio predicatur. Et ideo ewangelium multo amplius preferendum est legi, que nichil ad perfectum duxit,[480] immo occidebat, que erat quasi intro-ductio ad legem Christi, ut homines a minimis inchoantes ad maiora pervenirent. Et ideo hoc loco apostolus confert inter se non solum testamenta, sed etiam ministros eorum, ut, quemadmodum novum veteri, ita ministri novi ministris veteris preferendi sunt. Et hoc est, quod incipit dicens, quod "si ministratio", quasi dicat: Dixi ministros novi testamenti, quod spiritui insistit, non littere, quod longe legi preferendum est et pro magno reputandum. Quod a minori probat, quia videlicet, si lex, que potius mortem ministrabat, quam vitam, pro magno reputata est, multo amplius ewan-gelium, quod ad vitam ducit. Et hoc est "quod si ministra-tio", id est lex, que lex ad mortem trahebat. "Deformata litteris". Non dicit: scripta, sed deformata litteris, ut innuat legem deformem esse, si tota ad litteram intelligatur. Sunt enim etiam quedam in lege, que precipi stultum est, si, quemadmodum littera sonat, tantum debeant intelligi; veluti: cum pertransieris per viam, si inveneris in nido matrem et pullos, dimitte matrem et pullos retine, et bene erit tibi et eris longevus super terram;[481] et similia. Quod autem dicit: in lapidibus deformata, innuit etiam per hoc duritiam cordis eorum denotari.

"Fuit in gloria", id est pro magno reputata est. Et hoc ita, "ut non possent intendere filii" etc. || Moyses enim de Deo **129r** rediens accepta lege videbatur cornutam faciem habere,[482] qui tantam claritatem in vultu habebat, quod filii Israel non poterant[a] in eum inspicere et ideo posuit ipse velamen inter

---

[a] poterant] *inter lineas*

[480] Hebr. 7,19
[481] Deut. 22,6 sq.
[482] Exod. 34,30

se et populum.[a] [483] Quod autem visus est habere cornua duo,
non est nisi quod duos radios, unum ab uno oculo et alterum
ab altero egredientem habuit, qui significabant duplicem intelligentiam legis, quam ipse habebat. Moyses enim, qui
homo spiritalis erat, non solum legem ad historiam intelli-
gebat, sed etiam mistice. Et cum velamen interpositum
esset, populus illam claritatem non videbat, qui nichil ad
misterium percipiebat. Moyses tamen nichilominus inter
se et velamen claritatem habebat, qui apud se spiritalem
intelligentiam legis habuit. Hanc etiam duplicem intelligentiam predicatores ewangelii habuerunt, que multum
necessaria est fidelibus ad impetendum et impugnandum
iudeos tanquam duobus cornibus. Sicut enim bobus cornua
data sunt quasi armatura contra feras, ita et nos hunc
duplicem sensum quasi quamdam armaturam habemus, ut
tamquam cornutis argumentationibus incedentes nos ipsos
defendamus et iudeos, qui omnia ad historiam reducunt, im-
pugnemus. Cum enim dictum sit: Puer natus est nobis et
filius datus est nobis, cuius videlicet regni non est finis,[484]
et id de David intelligant, possumus illos refellere, quia ipse
etiam David habuit: Rursus letare, filia Sion, ecce rex
tuus venit mansuetus sedens super asinum, tamquam videlicet miles bene preparatus ad pugnandum,[485] non habent,
de quo illud historice dicant. Illi itaque impugnati tamquam cornu altero, si postulaverint ad nos similiter convin-
cendos, de quo id intelligamus, ad nostram dicemus defensionem, quia de nostro David id est nostro manuforti, scilicet Christo, plana sunt omnia.
"Quomodo non magis". Et cum illud, quod quasi nichil erat,
pro tanto reputatum est, "quomodo magis ministratio spiritus", id est lex Christi, que amorem Dei ministrat, "erit in
gloria", id est pro magno reputabitur.
"Nam si ministratio". Idem repetit verbis mutatis.

------

[a] et ideo posuit—populum] *inter lineas*

------

[483] Exod. 34,33
[484] Is. 9,6
[485] Zach. 9,9

"Nam nec". Contulit testamenta ad invicem et pretulit ewangelium legi. Nunc confert ministros et Moysi etiam, qui pro tanto habitus est, prefert apostolos, qui maiorem intelligentiam de Deo habuerunt quam Moyses, cuius intelligentia, ut iam dicet, etiam nichil fuit respectu intelligentie illorum. In gradibus enim, quos Deus in ordinanda sua ecclesia habuit, semper posteriores plus de Deo intellexerunt quam priores. Moyses enim plus precessoribus suis intellexit, cui dictum est; Nomen meum Adonay tibi notum feci, quod aliis non revelavi.[486] David etiam, qui postmodum fuit, dicit: Super omnes senes meos intellexi.[487] Apostolis autem plus omnibus revelatum est, de quibus dicit veritas: Multi reges voluerunt videre, que vos videtis, et non viderunt, et audire, que vos auditis, et non audierunt.[488]

Continuatio: et quid mirum, si multo magis est in gloria, quia nec etiam spiritalis intelligentia, quam Moyses habuit, aliquid est ad comparationem excellentis intellegentie, quam apostoli habent. Et hoc est, quia nec "glorificatum, quod claruit", id est claritas spiritalis, videlicet intelligentia, que refulsit "in hac parte", id est in Moyse, pro magno reputanda non[a] est "propter excellentem gloriam", id est propter intelligentiam apostolorum, que excellens est inter alias. "Si enim, quod evacuatur". Probat iterum legem Christi meliorem esse[b] lege Moysi philosophico illo argumento, quia videlicet bona, que diuturniora sunt, meliora sunt quam ea, que parvi temporis sunt. Lex autem Moysi ad tempus data fuit, que tandem evacuata est. Lex vero Christi tamquam perpetua est, cui alia lex non succedet.

Continuatio: Et vere pro magno multo magis reputanda est lex Christi, quia, si id, "quod evacuatur per gloriam", id est si lex Moysi, que[c] evacuatur "per gloriam", id est per legem Christi, est "in gloria", id est pro magno habita est,

[a] non] *in margine*
[b] esse] *inter lineas*
[c] que] *inter lineas*

[486] Exod. 6,3
[487] Psalm. 118,100
[488] Luc. 10,24

"multo magis,quod manet", id est lex Christi, que permanens est, cui alia non succedit, "est in gloria", id est pro magno debet reputari.

"Habentes igitur", quia videlicet non solum meliorem legem habemus, sed etiam credimus nos plus intelligere quam illi intellexerint, igitur "habentes spem talem utimur multa fiducia", in nostra videlicet predicatione, id est confidenter predicamus. "Et non". Utimur, inquam, et in nostra predicatione non ponimus velamen, "sicut Moyses ponebat" etc., sed omnia ad unguem exponimus faciem nostram non velantes, imo intelligentiam nostram omnibus manifestamus.

"Quod evacuatur", in predicatione videlicet nostra. Sed tamen usque adhuc "obtusi sensus eorum", id est hebetes sunt, non acuti, ut videlicet[a] more ignis, qui omnia penetrat et semper ad superiora tendit, ad ea, que sursum sunt, hanelent. Imo potius incurvati sunt in his, que deorsum sunt,[b] quibus hiant, in carnalibus omnino operibus occupati, que ad salutem sufficere putant.

"Usque in hodiernum". Et vere obtusi, quia "usque in hodiernum" etc. "non revelatum", id est non remotum, quia videlicet "in Christo", id est in doctrina Christi, "evacuatur", in quem nondum credunt.

"Velatum est cor". Cotidie enim de Christo in sinagogis suis legentes eum tamen non intelligunt nolentes in illum credere. Sed, cum in illum crediderint, velamen de cordibus illorum evacuabitur. Et hoc est: "Cum autem conversus" etc. "Dominus enim". Et vere tunc auferetur, quia "Dominus spiritus est", qui spiritales facit eos, qui in se credunt conferendo illis spiritum suum, ut spiritaliter intelligant. Et quid ad rem, si Dominus spiritus est? Multum.[c] Quia, "ubi spiritus" Domini est, "ibi libertas" est, id est mens libera et expedita ad intelligendum. Quam libertatem in predicatione nostra habemus, quia "nos" apostoli "specu-

---

[a] videlicet] *inter lineas*
[b] sunt] *inter lineas*
[c] Et quid—Multum] *inter lineas*

lantes", id est predicantes, "gloriam Dei", id est Christum, qui est gloria Patris, quia, ut dicit Salomon, gloria patris est filius sapiens.[488a] Christus autem gloria Patris est, qui semper gloriam Patris querebat ipso dicente: Non veni gloriam meam querere, sed eius, qui misit me, Patris.[489] Speculantes, dico, "facie revelata", id est intelligentia nostra aperta omnibus et exposita, quantum oportet.

"Transformamur" tamen "in eandem imaginem", id est in eandem fidem, quam habuerunt priores. Quamvis enim[a] ab illis[b] in intelligentia longe differamus, idem tamen credimus, quod illi.

Nos, dico, incedentes, subaudis, "a claritate in claritatem", id est ab intelligentia ewangelii ad intelligentiam legis. Sicut enim priores per vetus testamentum intelligebant novum, ita econtra nos per novum vetus intelligimus. Multa enim erant in lege, que ante rem ipsam ab apostolis etiam non erant intellecta. Veluti id, quod de agno pascali preceptum est illis, ne videlicet os aliquod comminuerent,[490] quod fortasse non ante fuit intellectum, quam visum fuerit in re ipsa, cum videlicet illis duobus frangerentur crura,[491] Jhesu vero non, qui iam mortuus erat. Unde Johannes scribens ait: Et non fregerunt illi crura, ut impleretur, quod dictum est: Et non comminuetis os ex eo.[492] Rursus, cum eiecit de templo ementes et vendentes,[493] recordati sunt apostoli postmodum, quia zelus domus tue comedit me.[494]

Et hoc "tamquam a spiritu Domini", id est revera per spiritum Domini, qui nobis datus est. Huiusmodi enim adverbia non semper similitudinem notant, imo quandoque rei veritatem. Veluti: Confidimus in vobis sicut in rege nostro.

---

[a] enim] *postea additum*
[b] habuerunt—illis] *in margine*

[488a] Prov. 10,1; 15,20
[489] Joh. 8,50
[490] Exod. 12,46; Naum 9,12
[491] Joh. 19,33
[492] Joh. 19,36
[493] Joh. 2,15-17
[494] Joh. 2,17; Psalm. 68,10

"Ideo quia". Quia videlicet utriusque testamenti habemus intelligentiam, "non deficimus", id est in predicatione nostra defectum non patimur, qui sufficimus omnia ad unguem exponere. Nos, dico, "habentes hanc aministrationem", id est hanc duplicem intelligentiam, et hoc non meritis nostris, sed "iuxta quod" etc., id est per gratiam Dei, qui videlicet misericorditer nos idoneos fecit ad hanc suam predicationem.

"Sed abdicamus". Non deficimus, dico, "sed abdicamus occulta dedecoris", id est removendo legis velamen sufficienter exponimus ea, que hucusque abscondita sunt et que legem tamquam dedecorosam faciunt, si ad litteram intelliguntur, quod supra innuit dicens: deformata in lapidibus.⁴⁹⁵

"Non ambulantes". Diceret aliquis: Revera predicatis et sufficienter exponitis, sed propter caudam argenteam. Quod removet dicens: "non ambulantes" in predicatione 129v nostra, "in astutia", ‖ quasi videlicet astute querentes nostra et non, que Jhesu Christi, sicuti multi inter vos. Quod exponit dicens: "neque adulterantes verbum Dei", id est fructum predicationis nostre ad alium finem non adcommodamus nisi ad Deum, quem finem omnium constituimus.

"Sed in manifestatione veritatis", id est in veritate manifesta omnibus predicamus verbum Dei. Nos, dico "commendantes nosmetipsos coram Deo", id est commendationem habentes de nobis ipsis apud Deum et apud homines etiam. Et hoc est ad "communem conscientiam hominum", qui videlicet cognoscunt nosᵃ et nostram vident conversationem. Qui, quicquid exterius dicant, intus tamen de nobis bene sentiunt. "Quod si etiam". Diceret aliquis: Vos dicitis,

---

ᵃ nos] *inter lineas*

---

⁴⁹⁵ II Cor. 3,7

quia omnia ad unguem exponitis. Sed multis ea,ᵃ que vos
predicatis, abscondita sunt. Revera. Sed non nisi pereun-
tibus, qui causa veritatis addiscendi non veniunt, sed causa
temptandi, et, si quid possunt, reprehendendi. Sicut enim
multi cum Domino erant in predicatione sua non causa veritatis, sed causa depravationis in aliquo, ita etiam cum apostolis, qui doctrinam illorum depravarent.

Continuatio: Nos vereᵇ revelata facie predicamus, quia,
"si etiam", quemadmodum lex, opertum "est ewangelium
nostrum", id est occulta est predicatio nostra, non est occulta nisi "his", qui "pereunt", qui videlicet causa temptandi veniunt. Et ideo in eis predicatio nostra efficaciam
non habet. Ita et astrologi, quos si quis consulit de aliquo,
in quo illorum iudicium efficax non est, dicunt illum causa
temptandi venisse, non causa inquirendi. Et hoc in illis
locis opertum est, "in quibus Deus" etc., sicuti in sinagogis,
ubi, cum cotidie Moyses legitur, cor illorum velatum est,
"ut" videlicet "non fulgeat illuminatio ewangelii", id est,
ut in illis non resplendeat intelligentia ewangelii, quod predicatur ad laudem et gloriam Christi, ut ab omnibus glorificetur. "Qui est imago Dei", id est expressa Dei similitudo,
qui per omnia Patri equalis est. Unde ipsa veritas: Qui
videt me, videt et Patrem.⁴⁹⁶

"Non enim". Bene dixi: glorie Christi, quia non "predica-
mus nosmetipsos", id est, ut nos ipsi glorificemur, sed
Jhesus Christus, ut, quemadmodum ipse quesivit gloriam
Patris in omnibus, ita et nos gloriam illius queramus.

"Nos autem servos". Jhesum Christum predicamus Dominum nostrum, et "nos servos" etiam "vestros", id est
ministros, et hoc "per Jhesum", qui ad ministrandum vobis,
non ad dominandum nos constituit. Quibus ait: Reges gentium dominantur earum et, qui potestatem habent, benefici

---

ᵃ ea] *inter lineas*
ᵇ vere] *inter lineas*

---

⁴⁹⁶ Joh. 14,9

vocantur. Vos autem non sic, sed, qui maior vult fieri, fiat tanquam minister.[497]

"Quoniam Deus". Dixi: non deficimus, sed abdicamus occulta, et bene, quia Deus hanc illuminationem nobis tribuit. Et hoc est, quoniam "Deus, qui dixit de tenebris lucem splendescere", id est eo verbo nos illuminavit, quo post tenebras lucem creavit dicens: fiat lux et facta est.[498] In qua ordinatione etiam tenebrarum et lucis voluit Deus prefigurare ordinationem legis et ewangelii ut post legem quasi post tenebras succederet ewangelium, id est lux. Unde alibi: Nox precessit, dies autem appropinquavit.[499]

"Illuxit in cordibus nostris", id est corda nostra illuminavit, et hoc "in faciem Christi Jhesu", id est ad notitiam illius, ut videlicet illum omnibus notificemus.

"Habemus autem". Quasi dicat: Et quamvis ita simus a Deo illuminati, tamen mortalia corpora et passibilia gestamus, ut totum Deo ascribatur et non nobis, qui tantum thesaurum in tam fragilibus vasis posuit. Et hoc est "habemus istum thesaurum", id est istam illuminationem "in vasis fictilibus," luteis videlicet, id est in corporibus fragilibus, "ut sublimitas" etc., id est ut ista sublimis intelligentia, quam habemus, divine virtuti attribuatur et non nostre infirmitati.

"In omnibus tribulationem patimur". Quasi dicat: Vasa nostra fictilia sunt, sed tamen, quantumcumque tribulamur, numquam teruntur. Et hoc "in omnibus", id est apud fideles et infideles, "tribulationem patimur"; sed tamen "non angustiamur", id est in desperationem non venimus. Desperanti enim omnia angusta sunt. In quam angustiam Deus non sinit suos labi. Imo in tribulationibus dilatat cor eorum. Unde David: In tribulatione dilatasti michi.[500] Ut videlicet amplum animum habeant sperantes, quod, quamvis magna sit tribulatio, maior tamen expectat eos

---

[497] Luc. 22,25 sq.
[498] Gen. 1,3
[499] Rom. 13,12
[500] Psalm. 4,2

corona, et, quod ad eternum bravium transeunt, si miserias
corporis, ubi angustiatur anima, finierint. De qua angustia
Seneca:[501] O mea, inquit, anima, quid moraris egredi, que
es in corpore tamquam in carcere. Sed postquam exieris,
libera es, numquam in maiorem angustiam perventura.

"Apporiamur", id est abicimur tamquam pauperes. Aporon
enim, ut dicit Haimo,[502] paupertas dicitur. Inde aporiari, id
est viles esse et abiectos tamquam pauperes. Sed tamen
non "destituimur" a necessariis. Non enim vidi iustum
derelictum nec semen eius querens panem.[502a]

"Persecutionem patimur, de loco videlicet ad locum. "Deici-
mur", idem est. Nos, dico, "circumferentes", id est undique
sustinentes, quocumque imus, "mortificationem", id est
pericula, que nobis mortem dictant propter Jhesum, qui pro
nobis mortuus est, ut, quemadmodum mortem illius suscipimus, ita tandem vitam illius suscipiamus.

"In carne nostra mortali", que videlicet adhuc mortalis est.
"Ergo mors", quia omnia sustinemus ad nostram probationem et vestram confirmationem, "ergo mors", id est pericula, que cotidie incurrimus propter Deum, "operatur in
nobis", probationem videlicet. Et inde est "vita vobis",
quia exemplo nostri confirmamini in Deo. "Habentes".
Vere transformamur in eandem imaginem, quia habemus
"eumdem spiritum fidei", quem ipsi habuerunt, de qua
"scriptum" est: "Credidi, propter quod", scilicet credite,
"locutus sum", id est aliis predicavi. De fide predicatorum
dicitur, qui, quod intelligunt et credunt, aliis debent persuadere. De quibus dictum est in apocalipsi: Qui auditum
habet, dicat: veni,[503] id est alios invitet ad credendum.

"Et nos", scilicet apostoli, "credimus", quemadmodum illi.
"Propter quod et loquimur", id est predicamus.

"Scientes, quoniam" etc., id est quod, quemadmodum Deus
Christum, qui caput omnium, resuscitavit, ita et "nos"

---

[501] Cf. Seneca, *Dialogi* 10, 14, 1 et 12, 9, 3.

[502] Haymo Halberstat., *Expositio in epist. S. Pauli.—In epist. II ad
Cor.* c. 4 (PL 117,624 C).

[502a] Psalm. 36,25

[503] Apoc. 22,17

apostolos, qui sumus membra illius, resuscitabit "et consti-
tuet vobiscum", quos similiter resuscitabit.

"Omnia enim". Quasi diceret aliquis: Vos loquimini, sed
verba, quid prosunt nobis?—Nichil; sed ad vestram utilitatem fiunt, quia "omnia", que predicamus, sunt "propter
vos, ut" videlicet "gratia habundet" etc., id est perseveret
in vobis. Huiusmodi enim geminatio perseverantiam notat
iuxta illud: Euntes ibant.[504]

"Actione gratiarum", ut videlicet non cessetis Deo gratias[a]
agere pro omnibus beneficiis suis, et hoc "in gloriam Dei",
id est ad glorificationem Dei. "Propter quod", ut videlicet
glorificetur Deus, "non deficimus", in nostris videlicet tribulationibus. Sed, "licet" etc., id est quamvis corpus nostrum
gravetur, anima tamen in virtutibus augetur. Huiusmodi
autem, qui se de die in diem renovant, deligit, non eos, qui
sibi quandam metam prefigunt, quasi satis sit eis circa
illam versari, dicentes cum Oratio:[505] Est quodam prodire
tenus, si non datur ultra.[b] Qui omnino sunt tepidi, de quibus
dictum est ab angelo: Utinam aut calidus aut frigidus[c]
esses. Sed quia tepidus es, incipiam te evomere ab ore
meo.[506] Ideo autem Deus adholescentulas diligit, que cotidie
pro amico aliquid novi faciunt numquam memores, quid
fecerint, sed semper ad hoc nitentes, ut, quod nondum factum sit, faciant; que non retro respiciunt, sed semper in
antea tendunt. De quibus dicitur in canticis: Quoniam
adholescentule dilexerunt te.[507] Vetulas vero, ut diximus in
epistola ad Romanos, amicas non vult habere Dominus, quoniam de vetulis magnum forum habetur, que semper frigide
mutatorias vestes non habent quemadmodum adholescen-

---

[a] gratias] *add.* Deo
[b] ultra] *om.*
[c] frigidus] calidus

---

[504] Psalm. 125,6
[505] Horatius, *Epist.* I ep. 1 vers. 32. Cf. Abaelard., *Theologia* lib.
2 c. 3 (PL 178,1055).
[506] Apoc. 3,15 sq.
[507] Cant. 1,2

tule, que de die in diem, ut magis placeant, vestes suas
renovant.   Veluti dialectica, ut quidam ait, que cum sub illo
et illo magistro alia et alia habuerit vestimenta adveniente
philosopho omnino remotis veteribus nova accepit indu-
menta, quia novis advenientibus vetera proiicietis, que
etiam sub uno magistro septies in anno tamquam ad maiora
festa novis induitur vestibus.

"Id enim".   Et quare non deficimus in tribulationibus?
Quia videlicet "id tribulationis nostre momentaneum, quod
in presenti est" etc., id est quia per istas tribulationes transimus ad eternum gaudium, que etiam cause suntᵃ ad bravium illud pertingendi, cum tamen ‖ meritum non habeant 130r
sicut nec aliqua exteriora.   Fides etiam, que nullam aput
Deum remunerationem habet, causa tamen est ęterne beatitudinis.

"Eternum", contra momentaneum.   "Pondus", contra leve.
"Glorie", contra tribulationis, quasi dicat ęternam et im-
mensam gloriam, et hoc in "sublimitate", id est in illa
eterna beatitudine.   Operatur, dico, "in nobis", qui videlicet
omnia propter Deum sustinemus.   Nobis, dico, "non con-
templantibus", id est non attendentibus, non desiderantibus,
"que videntur", id est temporalia hec; "que non videntur",
id est eterna.

ᵃ sunt] *inter lineas*

[Cap. 5.]

"Scimus enim". Diceret aliquis: Suntne ęterna? Ita utique, quia nos "scimus", id est certi sumus, quoniam, "si terrestris domus nostra habitationis dissolvatur", id est corpora nostra dissolvantur in cinerem. Scimus itaque, "quod edificationem", id est ęternas habebimus mansiones, et hoc "in celis", id est in eterna beatitudine, quam nomine celi tamquam eminentioris creature appellat vocabulo. Non enim quidam locus ad hoc deputatus est, ut quidam estimant, quia ubicumque est iustus, eque beatus est, cum, ubicumque sit, eque eternitatis fruatur visione.

"Nam". Et vere habemus, quia "et in hoc", id est propter hoc, "ingemiscimus", id est cotidie inenarrabilibus gemitibus suspiramus, hanelamus ad gaudia illa. "Que", scilicet habitatio nostra, "de celo est", id est de eterna beatitudine. Nos, dico, "cupientes superindui", id est supervestiri, corpora videlicet nostra immortalitate beatorum. Et possumus, si "tamen vestiti", scilicet in virtutibus, id est, si virtutes habeamus, que sunt vestiture anime.

"Nam". Vere ingemiscimus, quia "et nos, qui sumus" etc. Nos, dico, "gravati", id est interim gravaedines istas temporales, ut tandem ad vitam illam attingamus, sustinentes, "eo" etiam, "quod nolumus expoliari", id est dissolutionem corporis et anime. Non enim est^a aliquod periculum, quod homo non sustineat, ut mortem vitet. Nemo enim volens moritur, quia nec etiam Christus mori voluit, a quo et Petro dictum est: Et ducent te, quo non vis.[508] Unde et quidam monachus Clarivallensis solebat dicere, quod pro nichilo quecumque habebat pericula preter extremum punctum, in separatione videlicet anime, ubi tanta est angustia, qua maior nulla est ,in quo puncto alios tam miserabiliter vide-

---

^{a} est] *inter lineas*

---

[508] Joh. 21,18

bat dentibus pre angustia recavare. "Sed supervestiri", id
est indui immortalitate vellemus, ita videlicet, quod anima
etiam in corpore manente recederet mortalitas; quod in
Adam fieret, si in paradiso perseveraret.

"Qui autem". Quasi dicat: nos adhuc mortalia corpora
habemus, quia "qui efficit nos in ipsum", id est, qui nos adeo
infirmos facit, Deus est, qui tamen iam "dedit nobis pignus
spiritus", id est spiritum suum nobis contulit quasi arram
perveniendi ad illam immortalitatem sanctorum.

"Audentes igitur". Quia videlicet dedit nobis pignus Spiritum suum, igitur quasi securiᵃ "audentes audemus" in
ipsam etiam mortem ire. Perseverantiam talis notat geminatio. Audentes, dico, "semper" et "scientes", id est hoc
attendentes, "quod dum" etc.

"Per fidem enim". Vere adhuc peregrinamur, quia ecce
adhuc "per fidem ambulamus et non per speciem", id est
per congnitionem, que erit in ipsa rei experientia. "Audemus autem". Istud *autem* expletivum est. Vel potest
esse repetitio causa continuationis, quasi sic diceret: Audentes audemus et audemus et "habemus bonam voluntatem"
etc., id est volumus magis dissolutionem corporis habere, ut
ad Deum transeamus. Non est contra hoc, quod supra dictum est: Nolumus expoliari.[509] Velle enim hoc facere
propter illud, non est velle. Veluti patrem velle filium suum
tradere in carcerem, ut ipse liberetur, non est patrem hoc
velle facere, qui omnibus modis contra voluntatem eum
tradit, faciens tamen, quod omnino non vult, propter illud,
quod amat.

"Et ideo", ut videlicet ei simus presentes, "contendimus"
in omnibus gentibus "placere illi", scilicet Deo. Et hoc,
"sive" sumus "absentes" vobis "sive presentes". Quod
videlicet omnibus necessarium est etiam propter hoc, quia
eum iudicem expectamus. Et hoc est, quia "oportet nos
omnes manifestari ante tribunal Christi", id est presentari

ᵃ securi] *in margine*

---

[509] II Cor. 5,4

Christo iudici, qui omnes iudicabit. Manifestari, dico, ad
hoc, "ut" videlicet "unusquisque referat propria corporis".
Et quia corpora non pereant, supponit: "prout gessit" etc.,
quasi dicat: ut unusquisque opera sua, que in corpore egit,
referat, ea videlicet intentione, qua gesserit sive bonum sive
malum. [138*]Secundum enim intentionem opus bonum vel
malum dicitur.

"Scientes ergo". Quia videlicet oportet nos manifestari,
igitur "scientes", id est attendentes, "timorem" in illo iudicio Domini omnibus imminere, "suademus", hoc videlicet, id
est predicamus "hominibus", quia horrendum est incidere in
manus Domini.

"Deo autem". Ne[a] diceret aliquis: vere suadetis, sed non
causa Dei, imo alicuius commodi temporalis, ideo supponit:
"Deo autem"; acsi diceret: Suademus hoc hominibus et in
nostra persuasione "manifesti sumus Deo", id est Deus videt, quod sincera intentione in ipso hoc facimus, quicquid de
nobis homines iudicent. Et tamen non solum Deo, qua intentione predicemus, manifesti sumus, sed etiam spero "nos
manifestos esse in conscientiis vestris", quod videlicet de
nobis bene existimatis, quicquid loquamini, dictante vobis
vestra conscientia vos in omnibus inreprehensibiles esse.

"Non iterum". Et quia hic se commendaverat sicut et
supra, ne in se finem commendationis videretur ponere, supponit: "non iterum" etc., id est: numquid propter nos
hoc facimus? Non utique. Imo propter vos, ut videlicet
demus occasionem, id est materiam, unde de nobis gloriemini et eorum, qui vobis derogant, compescatis ora.

"Qui in facie gloriantur", id est, qui gloriam querunt in exterioribus et "non in corde', id est de interioribus. De qua
supra, quoniam gloria nostra hec est conscientie nostre
testimonium. Et alibi: gloria filii regis ab intus.[510] De qua
non curant illi.

---

[a] Ne] *inter lineas*

---

[510] Psalm. 44,14

[138*] Abaelard., *Ethica seu Scito te ipsum* c. 11 (PL 178,652C).

"Sive enim". Vere propter vos id facimus, quia etiam in loquendo aliqua magnalia nobis revelata fuisse, ita quod modum sapientis videamur excedere, propter vos est. Veluti cum dicit: Scio hominem raptum usque ad tertium celum, sive in corpore sive extra corpus, nescio, Deus scit, qui et audivit archana verba, que non licet homini loqui.[511] Et idem alibi: Bonum certamen certavi, cursum consummavi.[512] Et iterum, certus sum, quia reposita est michi corona iustitie, quam reddet michi in die illa iustus iudex.[513]

"Sive sobrii". Id est modum videmur servare in eis, que dicimus. "Vobis", sumus, subaudis, id est omnia ad utilitatem vestram facimus.

"Caritas enim". Quasi dicat: Vobis sumus in omnibus et hoc ex dilectione Dei, quia "caritas" Christi, id est dilectio,[a] quam erga Christum vel erga vos habemus, "urget nos" in illis etiam,[b] in quibus videmur excedere, ut Christo in omnibus vivamus et non vobis.

"Existimantes", id est hoc attendentes, quod videlicet, si unus pro omnibus mori dignatus est, omnes debent sibi mortui esse, ut illi vivat unusquisque.

"Et pro omnibus". Diceret aliquis: Bene concedendum est[c] illud, si unus pro omnibus mortuus est. Sed proba, quod unus pro omnibus. Quod probat dicens, quia Christus pro omnibus mortuus est.

"Et" ad hoc pro omnibus, "ut" videlicet et, "qui vivunt" etc., id est sibi moriantur et ei vivant, id est Christo, qui pro eis mortuus est "et resurrexit". Et quia de infirmitate Christi locutus est, ne in ea persistat, supponit de glorificatione, id est de resurrectione, ut videlicet illa gloria resurrectionis, que iam in capite precessit, in membris tandem compleatur, id est illis, qui sibi hic moriuntur et ei vivunt.

---

[a] dilectio] *inter lineas*
[b] etiam] *inter lineas*
[c] est] *inter lineas*

---

[511] II Cor. 12,2-4
[512] II Tim. 4,7
[513] II Tim. 4,8

"Itaque". Quia videlicet omnes debent Christo vivere, igitur "ex hoc", id est post hoc tempus, "neminem novimus secundum carnem", id est nullum approbamus, qui secundum carnem vivit.

"Et si cognovimus Christum secundum carnem", id est secundum infirmitatem carnis, "nunc tamen non novimus", qui iam habet corpus immortale et impassibile, ut et illi, qui ei vivunt, id est vitam illius imitantur, tandem ad eandem gloriam impassibilitatis perveniant.

"Si qua ergo". Quia videlicet mortui sunt sibi, qui vivunt Christo, ergo "si qua", id est si aliqua "creatura nova" est "in Christo", id est Christo coheret per delectionem non querens in Christo sua, quemadmodum nec Christus in nobis sua quesivit. "Vetera" illi "transierunt", id est illa, que a veteri Adam accepimus, evacuata sunt. Et "ecce" illis "facta sunt nova" per imitationem novi hominis.

"Omnia autem". Quasi dicat: Sed omnia hec, quod audentes audemus, quod Deo vivimus, quod vetera transierunt, quod nova facta sunt, "ex Deo" sunt, a quo habemus omnia. "Qui nos reconciliavit"[a] sibi "per Christum", id est per illum nostrum mediatorem, in quo unite sunt divinitas et humanitas in personam unam, ad nostram videlicet reconciliationem, ut quemadmodum nature ille unite sunt, ita etiam affectus Dei et hominum uniantur.

Et "dedit nobis", scilicet apostolus, "ministerium reconciliationis", id est officium predicationis, per quam alios ei reconciliamus.

"Quoniam quidem". Diceret aliquis: Et potuit per Christum?—Ita utique, quia "Deus erat in Christo" uniens sibi hominem in personam unam, in quo tantam dilectionem nobis exhibuit tum nostram naturam assumendo tum pro 130v nobis moriendo,[b] qua ma ‖ iorem non potuit. Et per hoc "reconcilians sibi mundum", quem morte sua in summam

---

[a] reconciliavit] *add.* nos
[b] moriendo] do *inter lineas*

dilectionem sui accendit.[138*a] Deus, dico, "non reputans de-
licta ipsorum", id est condonans, et "posuit in nobis", id est
tradidit nobis, "verbum reconciliationis", id est officium predicationis sue, per quam homines Deo reconciliamus.

Et nota, quod dicit: posuit in nobis tamquam in eis, qui fun-
damenta erant et capita post Christum.

"Pro Christo". Et quia positum est in nobis verbum reconciliationis, igitur "pro Christo", id est tamquam vicarii
Christi "fungimur legatione", in omnibus videlicet gentibus
"tamquam Deo exortante per nos", qui videlicet nobis utitur
tamquam amminiculis suis.   Et ideo "obsecramus pro
Christo", id est tamquam vicarii Christi rogamus vos: "re-
conciliamini Deo" omnia sustinendo pro Deo.   Et debetis,
quia "eum", scilicet Christum, qui "non noverat", per rei
videlicet experientiam, "fecit pro nobis peccatum", id est
hostiam pro peccato, "ut efficeremur iustitia Dei", iuste
viveremus coherentes Deo per dilectionem, et hoc "in ipso",
id est per ipsum mediatorem.

[138*a] Cf. Abaelardus, *Expositio in epist. Pauli ad Rom.* lib. 2 c. 3
(PL 178,836).

"Adiuvantes". Obsecramus, dico, et ita "adiuvantes" vos oratione, predicatione "exortamur", "ne" videlicet "recipiatis in vacuum gloriam Dei", quam in baptismate suscepistis, imo id, ad quod eam suscepistis, efficiatis, dum tempus habetis, in quo Deus paratus est exaudire. De quo tempore dictum est: "Tempore accepto" ad exaudiendum "exaudivi te". Et non solum exaudivi, sed etiam[a] adiutorium salutis tribui dona mea conferens, quibus ad salutem tenderes. Et "ecce nunc", id est in tempore gratie, est "tempus acceptabile" ad orandum, ad exaudiendum. Et "ecce nunc dies salutis". Antiqui autem etsi diem salutis habuerint, non tamen tantam letitiam habere poterant quantam nos, quibus statim per imolatam hostiam patet[b] introitus in regnum.

"Nemini". Adiuvantes, dico, et quomodo? "Nemini" videlicet "dantes ullam offensionem" vel in vita vel in predicatione. Auditores enim multum adiuvat predicator, cum, quod verbo predicat, vita non destruat. Etiam, etsi non propter Deum, saltem ideo, "ut" videlicet "non vituperetur ministerium nostrum", id est predicatio nostra. Unde supra: Castigo corpus meum et in servitutem redigo etiam propter hoc, ne, cum aliis predicaverim, ipse reprobus efficiar.[514] "Sed exhibeamus". Nemini dantes, "sed exhibeamus nosmetipsos sicut ministros", ut videlicet in omnibus ei ministremus, non pigri in elemosinis faciendis, cum unusquisque debeat,[c] quicquid habet super necessaria, membris Christi expendere. Et qui quicquam terrene substantie non habet, quam det, habet verbum benedictionis,[d] ut iuxta[e] quod

---

[a] Etiam] *inter lineas*
[b] patet] *add. et del.:* nobis
[c] debeat] *inter lineas*
[d] benedictionis] *correctum ex* predicationis
[e] iuxta] vix

---

[514] II Cor. 9,27

veritas dicit: Omni petenti da aliquid,⁵¹⁵ neminem sinamus abire sine dono. Magnum autem donum dat homini, qui in eo caritatem edificat. Multi enim sunt, qui, cum,ᵃ quod dent, non habeant, merentur tamen gratiam apud illum, cui negant benigne, quod postulat, dicentes: Frater, panis meus non sufficit michi et tibi. Ne irascaris, si tibi non dedero. Ille autem recedens, quem primum non dilexerit, diligit. Sicut econtra multi sunt, qui cum rancore animarum dant sua, nec apud illum, cui dant, gratiam habent, nec apud Deum meritum, sed omnino dona sua amittunt.

"In multa". Ministros, dico, et hoc est "in multa patientia," omnia videlicet sustinendo propter eum, qui pro nobis sustinuit crucem. Et contra quid sit patientia necessaria, supponit. Contra videlicet tribulationes. Et hoc est "in tribulationibus", ne videlicet desperemus. Dividit tribulationes dicens: "in necessitatibus", siti, fame et nuditate; in "angustiis", id est dolore anime et cruciatu interiori; "in castitate" et anime et corporis. Et hec omnia "in scientia", id est cum discretione, ut videlicet non plus laboret quis vel vigilet vel ieiunet quam oporteat, ne minus, quam debeat, divino sufficiat obsequio, ut, cum debuerit vigilare, non possit. "In longanimitate", id est in perseverantia in omnibus istis. "In suavitate", id est suaves et mites esse aliis, ut neminem offendamus. Et omnia ista fiant in "Spiritu Sancto", id est amore Dei, quem finem in omnibus et non nos ipsos statuere debemus. Quod exponit dicens: "in caritate non ficta", qua videlicet sincere diligitur Deus propter se. "In verbo veritatis", ut videlicet, quod boni in ore habemus, habeamus in corde. "Per arma iustitie". ¹³⁹*Iustitia est bona voluntas erga alterum, qua parati sumus unicuique quod suum est reddere. ¹⁴⁰*Ad hanc autem bonam voluntatem conservandam due alie virtutesᵇ sunt necessarie. ¹⁴¹*Virtutes autem philosophi qui-

---

ᵃ cum] *inter lineas*
ᵇ virtutes] *in margine*

---

⁵¹⁵ Luc. 6,30

¹³⁹* Cf. *Sent. Herm.*, c. 32 (PL 178,1750C).
¹⁴⁰* Cf. *Sent. Herm.* c. 32 (PL 178,1751A sqq.).
¹⁴¹* Cf. *Sent. Herm.* c. 32 (PL 178,1750B sq.).

dam IIII or distinxerunt, sicut Socrates:[516] iustitiam, tempe-
rantiam, fortitudinem, prudentiam. Alii vero tres quemadmodum Aristoteles,[517] qui prudentiam a virtutibus separavit,
unde ait: Quales sunt scientie et virtutes. Noluit enim virtutem esse illud, quod eque bonis[a] et reprobis conveniebat.
Scientia autem malis etiam[b] spiritibus communis est. Unde
et demones dicuntur quasi scientes, quia in discretione rerum
multum sunt perspicaces. [142*]Ad iustitiam igitur servandam, id est illam bonam voluntatem, ut presto simus[c] omnibus prestare, quod suum est, necessaria est temperantia et
fortitudo, que sunt armatura illius contra quaedam, que eam
impugnant.[d] Hanc enim duo impediunt, cupiditas temporalium et timor incurrendi periculum. Contra cupiditatem
igitur dimicat temperantia, que nichil immoderate adquirit
et adquisitis immoderate non utitur. Fortitudo vero contra
timorem, que parata est quibuscumque periculis imminen-
tibus, quod faciendum est, facere et propter Deum quecumque pericula suscipere. Et de his armis iustitie, que
integram eam servant, dicit apostolus monens, ut hec arma
iustitie ad iustitiam conservandam habeamus.

"A dextris" et "a sinistris", id est undique. Vel "a dextris
et a sinistris", id est in prosperis, que per dextram intelliguntur, et in adversis, que per sinistram accipiuntur. Unde
avim sinistram dicunt, que est prenuntia malorum. Contra
prospera ergo temperantia, ne nos extollant. Contra ad-
versa fortitudo, ut forti animo sustineamus, et ita, ut[e] tam
dextra quam sinistra nobis cooperetur in bonum. Dicit bea-

---

[a] bonis] *add. et del.* et bonis
[b] etiam] *inter lineas*
[c] simus] *inter lineas*
[d] que sunt—impugnant] *in margine*
[e] ut] *inter lineas*

---

[516] Cf. Plato, *Respublica* lib. 4 c. 6-9 (II. 427d sqq).—Macrobius,
Comment. ex Cicerone in somnium Scipionis lib. 1 c. 8 (Biponti, 1788),
46.
[517] Aristoteles, Κατηγορίαι c. 8 (Aristoteles latine. Berolini, 1831,
5a); Boethius, *In categorias Aristotelis* lib. 3 (PL 64,240D).

tus Gregorius,[518] quod quidam erat, qui dicebatur ambidexter tamquam nullam sinistram habens,[a] eo quod omnia
sibi in dextram, id est in bonum convertebat. Per arma,
dico, iustitie, que nos protegant per omnia, sive "per gloriam", id est laudem, que est de numero prosperorum, ut videlicet sive laudemur sive vituperemur, in nullo deficiamus.

Et "ignobilitatem", id est vituperium, quod est comes adver-
sitatis. Quod exponit dicens: "per infamiam et bonam
famam", ut, sive bene sive male de nobis existimetur, equo
animo toleremus.

Ut "seductores". Quia multi dicunt nos seducere homines
querentes nostra in illis et non Dei. "Et" tamen, quicquid
dicatur, in omnibus tamen "veraces" sumus. "Sicut qui
ignoti", id est sepe existimamur tales, quales Deus non cognoscit, sed tamen "cogniti" sumus Deo, cui per amorem
coheremus. "Quasi morientes", in nostris videlicet tribulationibus. Sed tamen "ecce" semper in omnibus "vivimus",
in Christo scilicet, qui dicit: Ego sum via et vita,[519] qui
nos in omnibus consolatur nec nos in aliquo deficere sinit.
"Ut castigati". Quos videlicet Deus castigat nec tamen mori
permittit. De quo dicitur: Castigans castigavit me Dominus et morti non tradidit me.[520]

"Quasi tristes", in habitu scilicet exteriori ‚sed tamen "gaudentes" semper interius, quicquid extra acciderit. "Sicut
egentes", id est pauperes, sed tamen "multos locupletantes",
id est ditantes veris divitiis, quibus ditatur anima. "Tamquam nichil habentes", unde scilicet sustentemur, sed tamen
"omnia" necessaria "possidentes".

"Os nostrum". Apostolus Corinthiis has duas epistolas
scripsit et maiores quam aliis, quia ampliorem animum erga

---

[a] tamquam—habens] *inter lineas*

---

[518] Cf. *Epistolarum lib.* 5 Indict. XIII ep. 39 (PL 77,764A).—
Terminus ambidexter, qui hic non apparet, conferatur apud Origenem,
In librum Iudicum homilia 3 n. 5 (PG 12,965C sq.).
[519] Joh. 14,6
[520] Psalm. 117,18

istos quam erga alios habebat tamquam erga proprios filios,
quos ipse in Christo genuit. Et ideo maiori affectu scribens
illis diutius in exortationibus et doctrina illorum immoratur.
Quod et ipse fatetur dicens: "O Corinthii, os nostrum patet
ad vos", quibus videlicet maiora scribo. Et non solum amplum os apud vos habeo, sed etiam "cor" meum "dilatatum"
est circa vos, id est amplum animum habeo erga vos. Quare,
quod vos strictum animum et angustum apud nos habetis,
non est ex nobis, id est nos non meruimus. Et hoc est "non
angustiamini in nobis", id est quod cor vestrumᵃ angustum
est et non dilatatum circa nos, non est ex nobis, qui dilata-
mur erga vos. Sed "angustiamini in visceribus vestris", id
est ex vobis est angustia ista cordis erga nos. Et ideo "dico
tamquam filiis, dilatamini et vos", id est habetote cor dilatatum apud nos, quemadmodum et nos apud vos. Vos dico
"habentes eandem remunerationem" nobiscum, si in vobis
non remanserit.

"Nolite". Quidam erant inter illos, qui cerimonias legis
volebant inducere. Quos notat hoc loco et rogat, ut eos
vitent. Et hoc est "nolite iugum", id est legem, que quasi
iugum erat et timore pene cohercebat hominem ad obedientiam. "Cum infidelibus", id est speudoapostolis, qui astruebant Christum vel doctrinam Christi ad salutem non sufficere. "Que participatio" etc. Replicatio verborum est.
"Belial", nomen diaboli.

"Qui autem consensus". Aliud etiam in illis arguit, quod
videlicet quidam adhuc cum conscientia idoli idolotitum
comedebant, unde notavit eos in priori epistola. Vel etiam
gentes, cum prius habuerint imaginem Jovis, Apollinis, con-
131r verse postmodum alias ima ‖ gines, que et hodie retente
sunt in ecclesia, et ex formis illis, quas presentes habebant,
aliquod donum apud Deum credebant obtinere, quod sine
illis non obtinerent, quod est idolatram esse. Et hoc est
"qui consensus templo," id est: vos, qui templum Dei estis,
quid consentitis idolatris, qui vobiscum sunt. "Vos enim".

ᵃ vestrum] *inter lineas*

Bene dico: templo Dei, quia "vos templum Dei vivi estis".
Ad quod testimonium prophete inducit dicens, quia videlicet
"inhabitabo".   Et non solum inhabitabo, sed etiam "inam-
bulabo", vos videlicet promovendo de virtute in virtutem.

"Propter quod", ut videlicet inhabitem in vobis, "exite de
medio eorum", id est "et separamini" ab illis, si non loco,
saltemᵃ corde et eos ipsos separate a vobis, qui huiusmodi
sunt, gladio anathematis.

Et "immundum ne tetigeritis", id est ne ei incorporetis per
imitationem.

ᵃ saltem] satem

"Has igitur". Quia videlicet Deus hec nobis promittit, igitur "habentes has promissiones mundemus nos". Ponit se in numero illorum, ut melius peroret. "Ab omni inquinamento", id est immunditia, que commaculat carnem et spiritum, id est animam. "Perficientes sanctificationem", id est nos sanctos esse. Et hoc "in timore Dei", id est per amorem Dei, de quo timore dictum est: Timentibus Deum nichil deest.[521]

"Capite nos", id est intelligite nos attendentes, quales sumus, ut nos in omnibus imitemini. Et debetis, quia nos "neminem lesimus", id est offendimus sicut illi, qui querunt seducere vos. "Neminem corrupimus", nostro videlicet exemplo. "Neminem circumvenimus" in predicatione nostra, querendo scilicet in eo nostra et non sua, quemadmodum pseudo faciunt, quibus creditis.

"Non ad condempnationem", id est ista, que dico, non dico ex odio, ut vos confundere velim, sed ex amore, ut correcti resipiscatis.

"Prediximus". Vere, non ad condempnationem, imo ex caritate, quia "prediximus, quod in cordibus nostris estis", id est intantum vos diligo, quod non solum presto sum[a] convivere vobiscum, ut vos instruam, sed etiam commori pro vestra eruditione.

"Multa michi". Quia videlicet in cordibus nostris estis, cor nostrum dilatatum est erga vos, os nostrum patet ad vos. Ideo "multa michi fiducia", id est multum in vobis confido, ut precepta mea teneatis.

"Multa michi gloriatio pro vobis", id est de vobis apud alios. Multi enim erant inter illos, qui magne erant religionis. Et non solum glorior de vobis, sed etiam "repletus consola-

---

[a] sum] *inter lineas*

[521] Cf. Psalm. 33,10

tione", de vestra videlicet conversatione, "superhabundo
gaudio", id est superhabundans gaudium habeo de vobis, "in
omni tribulatione". "Nam cum". Diceret aliquis: Quia
dicis in omni tribulatione, fuistine in tribulatione?—Ita utique, quia, cum "venissemus" etc., "passi", sumus, subaudis.
"Foris pugne", qui mecum scilicet contenderent. "Intus
timores", id est in mente cruciatus, cum timerem michi
undique.

"Sed qui". Ita tribulationes imminebant ex omni parte. Sed
Deus, "qui consolatur humiles", quia super quem requiescit
spiritus Domini nisi super quietum et humilem?

"In adventu Titi", quem videlicet ad vos miseram. Et "non
solum" consolatus sum de adventu illius, quia multum neces-
sarius michi erat in predicatione, sed etiam ex eo, quod et
ipse magnam in vobis consolationem habuit.

"Qua consolatus", passive.

"Vestrum desiderium", quod videlicet erga me habuistis.
"Fletum vestrum", de mea videlicet absentia vel de commis-
sis vestris. "Vestram emulationem pro me", id est, quomodo me imitamini, quod sepe dixeram vobis. Unde supra:
Imitatores michi estote sicut et ego Christi, id est ita sequi-
mini me sicut et ego Christum sequor. Et quid irem per
singula? "Ita" consolatus sum de vobis, "ut" de eo etiam,
de quo magis contristatus fueram, "magis" utique "gauderem", sicuti de illo, qui novercam duxerat, quia et ipse correctus est et vos in eo ipso fuistis obedientes.

"Quod". Vere ita, ut magis gauderem. "Quod", id est quia.
Etsi "contristavi in epistola", scilicet priori. "Non quia
contristati estis", id est in desperationem venistis, vel quia
habeatis rancidum animum et malivolum adversus me, sed
quia "contristati estis ad penitentiam". Et vere ad penitentiam, quia "secundum Deum contristati", ut "in nullo"
etc., imo ut augmentum recipiatis ex nobis. Color retho-
ricus.

"Stabilem", id est immobilem, quia ęternam. "Seculi".
Tristitia secundum Deum salutem operatur. Sed "tristitia
seculi mortem operatur". Seculi est tristitia, veluti si quis

post datam elemosinam doleret inde dicens apud se, quia
videlicet cito in paupertatem labi potero, nisi michi pro-
videro. Et hec tristitia in temporalibus servandis sollicita[a]
ducit ad mortem.

"Ecce enim". Et vere secundum Deum, quia ecce omnia
ista bona inde procedunt. "Sollicitudinem", ut videlicet
cautiores sitis et circumspecti, ne iterum labamini. "Sed
defensionem", meam videlicet adversus eos, qui me interrogant. Ista coniunctio totius repetita augmentum notat,
quasi dicat: Non solum hoc, sed etiam istud. Et iterum:
non solum hoc, sed et istud.

"Indignationem", meam scilicet, si amplius laberemini, quia,
si prius iratus fuerim, modo indignarer. "Timorem", michi
et vobis, ne in idem incidatis; "desiderium" in me, videlicet
veniendi ad vos. "Emulationem", ut alii etiam vos in
obedientia immitentur. "Vindictam", ut et vos deinceps proniores sitis ulcisci huiusmodi. "In omnibus". Consolatus
sum, inquam, in vobis, quia "in omnibus exhibuistis" nobis
obedientiam.[b]

"Igitur, si scripsi". Quia videlicet de ista vestra correctione
adeo solliciti eramus, igitur "si scripsi", id est, cum vobis
scripserim, "non" solum "propter eum, qui fecit iniuriam",
qui videlicet novercam duxerat, scripsi sicuti priorem
epistolam, ut ab ęcclesia expelleretis illum, "nec" iterum
propter eundem, qui "passus" est, sicuti hanc epistolam, ut
eum reciperetis, sed etiam "ad manifestandam" etc., id est,
ut manifestaremus vobis, quam solliciti sumus de vobis et
hoc "coram Deo", id est, ut Deo placeamus. "Ideo", quia
videlicet in omnibus incontaminatos vos exhibuistis, ideo
"consolati sumus" in vobis. Et in ista "consolatione nostra
habundantius gavisi sumus super gaudio", id est de gaudio
Titi, quoniam adeo gavisus est[c] ipse in vobis. Gavisi sumus,
inquam, quia "refectus spiritus", id est anima illius refecta

---

[a] sollicita] *inter lineas*
[b] obedientiam] *sequitur vacuum dimidiae partis lineae*
[c] est] *inter lineas*

est in vobis, quicquid sit de refectione corporis eius, de vestra videlicet conversatione.

"Quomodo cum timore", in mente videlicet habito, et "tremore", id est cum reverentia ei exhibita.   Et ideo "gaudeo", quod videlicet "in omnibus confido in vobis", id est fiduciam habeo de salute et obedientia[a] omnium vestrum.

---

[a] et obedientia] *inter lineas*

"Notam autem". Aliud capitulum ingreditur apostolus
de elemosinis faciendis in refectionem sanctorum, qui Jerosolimis erant, quibus de Judea conversis iudei omnia sua
abstulerant. Unde gentes converse suis elemosinis istos
sustentabant, presertim predicatione huius apostoli, de quibus sepe per epistolas suas mentionem facit. Ut ergo Co-
rinthios, qui avari erant, in hoc beneficium inducat et eis
persuadeat, callide premittit de ecclesiis Macedonie, quas
dicit eum etiam rogasse, ut hoc beneficium ab eis reciperet
in ministerium sanctorum. Et ex eo incipit dicens: "Notam", quasi dicat: Non solum predicta nota feci, sed etiam
"notam vobis gratiam Dei", id est donum Dei gratuitum
etc., quod videlicet "in experimento" etc., id est quod in
magnis tribulationibus, quas experti sunt, magnam consolationem contulit eis Deus.

De tribulationibus eorum sive etiam de consolatione premittit, ut tamquam sub insinuatione ad id, de quo intendit,
accedat.

Et "altissima", acsi diceret: Et hoc etiam notum vobis
facio, quod videlicet "paupertas eorum altissima", id est
laudatissima, "habundavit", quamvis pauperes essent, "in
divitias" non duplicitatis, immo "simplicitatis", id est simplici intentione, non dupplici, tamquam videlicet ab illis,
quibus dederunt, aliquid comodi expectarent, sed tantum
Deum in fine posuerunt. "Quia secundum virtutem". Vere
altissima, quia "testimonium illis reddo", quod "secundum
virtutem", id est secundum facultatem unusquisque tribuit
sine omni simulatione. "Et supra virtutem", id est supra
id etiam,[a] quod potuerunt, animus illorum paratus erat dare.
Illi, dico, "obsecrantes cum multa exortatione nos gratiam

---

[a] etiam] *inter lineas*

et communicationem", id est hoc beneficium ab illis accipere ad ministrationem sanctorum.

"Et non". Dederunt, dico, "et non sicut speravimus",
immo multo melius, quia seipsos primum obtulerunt, quod
Deus approbat in omni offerente. Ille autem se Deo primum dedicat, qui id, quod offert, ad eum finem, ad quem
debet, accommodat, id est ad Deum, qui in omnibus finis
est constituendus. Et tunc Deus ad eum, qui sic offert, primum respicit, deinde ad munus illius, cui videlicet oblatio
placet propter offerentem, non autem offerens propter oblationem. Unde ad Abel dicitur respexisse primum, deinde
ad munera illius. Sed ad Cahim non respexit nec ad eius
munera.[522] Apud homines autem aliter est, qui primum ad
munera, deinde ad offerentem respiciunt et ex eo, quod
vilius est, cariori pretium assignant. Homo enim ex mag-
nitudine muneris oblati pretium accipit.

"Deinde". Primum dico Deo, "deinde nobis" ad obediendum tamquam ministris Domini. ‖ Et hoc "per voluntatem", **131v**
id est dispositionem Dei. Dederunt, dico, et "ita", ut[a] nos
"rogaremus Titum", ut "quemadmodum" etc. "gratiam
istam", id est beneficium huiusmodi in ministrationem sanctorum. "Sed sicut". Quasi dicat: Et non solum, ut per-
ficiat, sed etiam habundanter. Et hoc est "sed sicut in omnibus habundatis fide", quia bene creditis; et "sermone", id
est verbo predicationis; et "scientia", quia omnia sciatis
cum discretione; "et omni solicitudine", quia undique circumspecti estis caventes vobis in omnibus; "insuper et caritate", id est dilectione erga nos. Et quemadmodum in omnibus his habundatis, "dico, ut" et ita habundetis "in hac gratia", id est in hoc beneficio. Dico, inquam, "non quasi im-
perans" sed per "aliorum sollicitudinem", id est exemplum
Macedonum, qui adeo sunt solliciti in hac gratia. "Compro-
bans", id est laudans vobis, ut et vos similiter dilectionem
vestram eis exhibeatis et hoc ingeniose, id est cum discre-

---

[a] ut] *in margine superiori*

---

[522] Gen. 4,4 sq.

tione,[a] ut eo videlicet modo detis, quo oporteat. "Scitis" enim". Dico, ut habundetis, et debetis, quia "scitis gratiam" etc., qui, cum omnia haberet, pauper tamen propter nos factus est, qui etiam in alieno natus positus est in presepe, quoniam non habuit locum in diversorio. Qui et de se ipso dicebat: Vulpes foveas habent et volucres celi nidos, sed filius hominis non habet, ubi caput etiam reclinet.[523]

"Et" ideo in hac elemosina facienda "consilium do" vobis. Et bene, quia "hoc vobis utile est, qui non" etc. Multi enim sunt, qui faciunt, sed quasi coacti. Veluti de offerentibus liquidum est, qui sepe pro pudore offerunt. Quippe caballarius pro caballario non teneretur, nisi in maioribus diebus saltem offerret. Veluti de quodam milite normanigena dictum est, qui, cum pauper esset, iuxta columnam in ęcclesia solitus sedere, in die natalis non habens, quid offerret, in duabus missis prioribus semper columnam circuibat in hora oblationis, ut et ipse ab euntibus et redeuntibus hinc et hinc ire et redire videretur, ne haberetur derisui, quia caballarius erat, nisi oblatum iret. Consul autem quidam, qui in eadem ęcclesia erat, animadvertens, quod ipse non obtulerit, mirans, quare columpnam circumierit, misit camerarium suum, ut inquireret, quare non oblatum iverit. Qui cum rediens dixerit, quia, quid offerret, non habuit, consul imputans culpe sue iussit nummis refertum vas argenteum ei dari tamquam ad oblationem. Ille autem ad tertiam missam ciffum cum omnibus nummis obtulit dicens, quare avarus ero in offerendo, cum ipse non fuerit in largiendo. Consul autem audiens liberum animum illius, dedit illi[b] redditus suos omnes per septimanam.

"Nunc vero". A priore animo habuistis velle. Sed nunc "facto perficite", id est in opere exhibete, ut videlicet, sicut animus pronus est ad volendum, ita etiam pronus sit ad perficiendum. Et hoc ex "eo", quod "habetis", in animo vide-

---

[a] discretione] discretionem
[b] illi] *inter lineas*

---

[523] Matth. 8,20; Luc. 9,58

licet, hoc est secundum hoc, quod ratio suggerit vobis faciendum esse.

"Si enim". Bene dixi: ex eo, quod habetis, quia "si voluntas prompta", id est prona est ad faciendum, "accepta", id
est digna est laude, "secundum id, quod habet", id est secundum discretionem. Non enim vult apostolus, ut solum
habundent, sed etiam sciant habundare, id est cum scientia,
hoc est cum discretione faciant, quicquid faciunt.[524] De qua
scientia dicit alibi: Scio et habundare, scio et penuriam
pati. Non est enim multum penuriam pati vel habundare,
sed scire hoc, scire illud, magnum est. "Non secundum id,
quod non habet", id est non secundum hoc, quod non ratio
suggerit.

"Non enim". Dixi: Secundum id, quod habet, accepta est.
Et bene, quia videlicet "non" ita faciendum est, "ut aliis
sit remissio", id est consolatio. "Vobis autem tribulatio",
id est penuria.

Queritur, si quis dederit omnia, que habet utrum discretionem servet. Ita, inquit, si ratio ei dictaverit, quod corpus habet idoneum ad laborem, unde vitam suam sufficiat
sustentare nichilo etiam sibi retento. "Sed ex equalitate",
id est cum discretione, que equat universa. In "presenti
tempore vestra habundantia", id est bona vestra superflua
sustentent paupertatem eorum, ut et econverso illorum bona
spiritualia iuvent inopiam vestram et apud Deum, quod
vobis deest, impetrent. "Ut" ita "fiat equalitas" ex utraque
parte, ut videlicet et vos illis coequemini in bonis suis spiritalibus et illi in vestris temporalibus, quemadmodum "scriptum est", in Exodo videlicet de antiquo populo.[524a]

"Qui multum" etc. Judei enim in singulis diebus de
manna[a] unum gomor acciperent. Alii tamen latenter IIo
ex avaritia gomor accipiebant. Sed hii tamen, qui plus accipiebant, quibus et alterum gomor putrifiebat in archa, non

---

ᵃ de manna] *in margine superiori*

---

[524] Philipp. 4,12
[524a] Exod. 16,18

plus habundabant, nec illi qui minus sumebant, minorati
sunt in aliquo, imo equales facti sunt.[525]

"Gratias autem Deo". Quasi dicat: Non solum ego gratus
Deo, qui dedit michi hanc sollicitudinem pro vobis, sed
etiam, qui "dedit eandem sollicitudinem pro vobis", id est
ad utilitatem vestram, "in corde Titi, quoniam" videlicet
"exortationem" meam, scilicet ut iret ad vos, "suscepit.
Sed" tamen, quamvis et illum miserimus, "profectus sua
voluntate". Nec mirum, cum et ipse "sollicitior esset", id
est multum sollicitus esset super hoc.

"Misimus". Et non solum illum misimus ad vos, sed
etiam "cum illo fratrem, cuius laus" etc., id est Lucam, qui
iam ewangelia scripserat ab omnibus recepta ęcclesiis.

Et "non solum", videlicet laus eius est in ewangelio, sed
etiam "ordinatus", ut videlicet sit "comes", id est socius,
"nostre peregrinationis" in predicatione Christi. Comes
etiam ordinatus "in hac gratia", quam scilicet sanctis
ministratis. "Ad Domini gloriam", ut videlicet Deus glorificetur, et ad "voluntatem nostram", videlicet implendam,
que iam destinata, id est iam diu parata est in vobis.

"Devitantes". Quasi dicat: Tales personas misimus, quibus
videlicet credi convenit, ne nobis in aliquo possit detrahi,
quasi nostra queramus et non Jhesu Christi. Et hoc est
"devitantes" etc. "In hac plenitudine". Ecce non dicit: in
elemosina, sed in hac plenitudine, ut, cum plenitudinem
dixerit, pudeat illos plenarium donum eum non invenire.

"Providemus enim". Dixi: devitantes, et bene, quia "non
solum coram Deo", ut videlicet non solum Deo, sed et hominibus placeamus.

"Fratrem nostrum", scilicet Apollo, qui et illis predicaverat.
"Quem", scilicet Apollo, in "multis probavimus", id est experti sumus, "sollicitum esse" erga vos. Et "nunc", dico,
"multo sollicitiorem", pro "multa confidentia", quia videlicet multum confidit in vobis. Iste autem Apollo propter
pseudoapostolos locum in illis non habuit. Nunc de illorum
correctione audiens de illis confidebat.

---

[525] Exod. 16

"Sive pro Tito", id est sive etiam pro Tito, qui eum securum fecerat et de vobis fiduciam habere. Tito, dico, "qui socius meus est".

"Sive fratres". Nos misimus istos ad vos. "Sive" etiam "fratres nostri, apostoli eccelsiarum, gloria Christi", id est in quibus glorificatur.

"Ostensionem". Dixit se hos viros ad illos misisse. Modo rogat, ut digne, cum ad eos venerint, illos recipiant, eo videlicet modo,ᵃ quo debent personas relligiosas, et illam dilectionem eis exhibeant, quam sibi exhiberent.

Continuatio: Et quia tales personas vobis misimus, igitur "ostensionem" talem, que sit "caritatis vestre", id est que signum sit, quam dilectionem erga nos habeatis, et que etiam sit "glorie nostre", quia ad gloriam et honorem Domini spectat, si nuntii sui bene fuerint recepti. Glorie nostre, dico,ᵇ "pro vobis", id est de vobis,ᶜ quasi dicat: Ita illos suscipite, ut, sicut de vobis apud illos gloriati sumus, sic et apud vos inveniant. Et hoc "in facie ęcclesiarum", id est in conspectu omnium ęcclesiarum, ut et ille exemplo vestro idem faciant. Vel "in facie", id est propter hoc saltem facite, quia, quod eis feceritis, aliis innotescet.

ᵃ modo] *inter lineas*
ᵇ dico] *inter lineas*
ᶜ id est de vobis] *inter lineas*

"Nam de". De personis istis rogamus vos, quia [de] elemosinis ad opus sanctorum superfluum est michi scribere, quia
scio vos iam diu paratos esse. Ecce quomodo eos inducit in
hoc beneficium.

"Pro quo", quia videlicet scio vos promptum habere animum. Et "vestra emulatio", id est vester fervor bonus,
quem habetis erga pauperes, "provocavit multos", id est
invitavit quam plurimos ad eandem gratiam.

"Misimus". Modo quiddam apponit, unde mirabiliter illis
persuadet, dicens se istos premisisse, ut, cum ipse venerit,
viam paratam inveniat, ne coram Macedoniis, quos secum
adducet, erubescentiam incurrat de gloriatione sua, quam
apud illos de ipsis habuit, quod videlicet a priore anno habuerint paratos animos. Et hoc est "Misimus autem" etc.
"Gloriamur de vobis" apud Macedonas. "In hac parte", id
est in hoc beneficio, "ut non dicamus vos". Quasi dicat:
Nolo dicere vos, quia maxime possem ego erubescere, qui de
vobis gloriatus sum apud illos "in hac substantia", id est in
hac gratia, que fit ad sustentationem sanctorum. "Repro-
missam", id est iterum et iterum promissam. "Benedictionem", ut videlicet donum vestrum sequatur benedictio.
Unde supponit "sic", id est ita, videlicet, ut sit benedictio,
non quasi avaritia, id est, ut in largiendo, quicquid quis[a]
dederit, amplum animum habeat et hilarem. Hilarem enim,
ut iam dicet, diligit Deus largitorem.[526]

"Hoc autem". Ibunt illi ad colligendam benedictionem. Sed
ego iterum "dico", ut in hac videlicet benedictione non parcum habeatis animum attendentes hoc proverbium, quod
videlicet, "qui parce seminat" etc. Nos autem sumus quasi
seminantes, qui hic elemosinas quasi semina in sinu pauper-
is[b] iacimus, quas in fructu ęterne beatitudinis colligemus,

---

[a] quis] *inter lineas*
[b] in sinu pauperis] *inter lineas*

---

[526] II Cor. 9,7

ubi unusquisque colligit, prout hic seminat. Unde, qui ‖ parce 132r
seminat, id est, qui strictum animum et parcum habet in
seminando, parce et colligit. Qui vero amplum animum habet in largiendo et amplas messes inveniet, ubi ipse centu-
plum accipiet et vitam ęternam possidebit.[526a] Et hoc est,
quod supponit: Et "qui seminat in benedictionibus", id est
qui amplum habet animum in seminando, "de benedictionibus", id est de illa amplitudine animi amplam messem habebit. Non enim quid datur, Deus attendit, sed quo animo, ut
secundum animi quantitatem premium ei equet. Unde dicit
et ipsa veritas de illa paupercula, quia plus omnibus dedit.[527]
Et ideo, fratres, "unusquisque" vestrum, seminet, subaudis,
"prout destinavit in corde suo", id est cum amplitudine
animi, prout ratio unicuique suggerit in mente. Et "non
ex tristitia", id est non quasi tristes vel etiam coacti quicquam demus, sed ex hilaritate, quia "Deus diligit hilarem
datorem", qui videlicet amplum animum et actum habet
propter Deum in largiendo, ut post largitionem dedisse non
doleat, sed magis gaudeat.

"Potens est autem". Quasi dicat: Et vos ergo in benedictionibus seminate, ut et de benedictionibus metatis, non de-
fecturi in bono aliquo, quia "Deus", propter quem datis,
"potens" est etc., id est omnia dona in habundantia conferre
vobis, "ut", videlicet et vos, etiam "habentes omnem sufficientiam", id est et bona temporalia et spiritalia, "habundetis"
aliis "in omne opus bonum". De qua habundantia "scriptum est: Dispersit". Non dicit: tribuit, sed "dispersit", id
est diversis erogavit. "Dedit", et non quibuslibet, sed "pauperibus". Non enim tantum attendendum est, quid detur,
sed etiam, cui detur, de quo dicitur: sudet in manu tua
elemosina.[527a] "Justitia" id est elemosina. Sed tamen, ut
dicit beatus Jeronimus,[528] iustitia ibi[a] ponitur, ut videlicet,

---

[a] ibi] *inter lineas*

[526a] Matth. 19,29   [527] Marc. 12,43; Luc. 21,3
[527a] Augustinus, *In Psalm.* 102 n. 12 (PL 37,1326).
[528] Ep. 66 n. 10 (PL 22,644): Pars sacrilegii est rem pauperum non
dare pauperibus.—*Comment. in Ecclesiastem* (PL 23,1092): Sed

cum elemosinas dederimus, non putemus nostra dare, sed
aliis sua reddere. Quicquid enim supra necessaria habemus, pauperum est. "Manet in eternum", id est in conspectu Dei, qui de singulis remunerationem dabit.

"Qui autem aministrat". Et vere potens est omnem gratiam facere in vobis, quia Deus, "qui aministrat semen",
dabit etiam de illo semine "panem ad manducandum". Et
iuxta[a] hanc similitudinem "multiplicabit semen vestrum", id
est elemosinas vestras, conferendo vobis habundanter, unde
eas faciatis, ut ex illo semine habundanti[b] multiplicem fructum recipiatis. Et hoc est: "et augebit incrementa", id est
multiplices[c] fructus, "iustitie vestre", id est elemosine
vestre, que nomine iustitie predicta de causa designatur.
Multiplicabit, dico, ut "in omnibus", id est temporalibus et
spiritalibus, "locupletati", id est ditati, "habundetis" aliis
videlicet "in omnem simplicitatem", id est in omnem elemosinam. Sicut enim de corporalibus facienda est elemosina, ita etiam et de spiritalibus. Est enim et alius panis,
quem proximo dare debemus ad refectionem anime Sed omnem elemosinam simplicitatem appellat, quia in singulis
simplex debet esse intentio largientis et sincera, ut Deum in
fine statuat, non se. Unde dicitur: ut sinistra tua nesciat,
quid faciat dextera.[529] Si enim sinistra dextere admiscetur,
Deus avertit se, qui in fine secum non vult habere consortem. Si enim consortem haberet, plus utique consors a multis diligeretur quam ipse.

"Que", scilicet simplicitas, "operatur per nos", quibus Deus
utitur tamquam suis ministris, "actionem gratiarum Deo".
Alii enim videntes nostram conversationem et affectum cari-

---

   [a] iuxta] ta *inter lineas*
   [b] habundanti] *correctum ex habunti*
   [c] multiplices] *inter lineas*

---

secundum apostolum: Habentes victum et vestitum his contenti sumus,
quidquid supra habere possumus, in pauperibus nutriendis et egen-
tium largitione consumamus.

---

[529] Matth. 6,3

tatis nostre erga alios Deum glorificant dicentes: Benedictus Deus, qui talem familiam habet. Non est enim, quod tantum commendet dominum, quantum eius familia bene disposita, sicut econtra male disposita arguit. "Quoniam". Et vere operatur, "quoniam" ministerium huius officii, id est huiusmodi amministratio, que fit in sanctos, "non solum supplet ea, que desunt sanctis", id est non solum sanctos sustentat in necessariis, "sed etiam habundat", id est plena est, "actione gratiarum"; "per multas", id est per multa ora hominum. Actione gratiarum, dico, "in Domino", id est ad honorem Domini, acsi dicat: Multos invitat ad laudem Dei. Luceant enim opera vestra bona, ut glorificetur Pater vester, qui in celis est.ᵃ ⁵³⁰

Et hoc "per probationem huius ministerii", id est per hanc probabilem, id est laudabilem amministrationem. Multos, dico, "glorificantes Deum", id est Deum laudantes, qui tales servos habet. Et hoc in "obedientia", id est propter hanc vestram obedientiam in sanctos, que est "vestre" etiam "confessionis", id est laudis et apud Deum et apud homines. Confessio enim sepe sicuti in psalmis pro laude ponitur. Veluti: Confitemini Domino,⁵³¹ id est laudate Dominum. Confessionis vestre, dico, in "ewangelio" Christi, qui videlicet in hoc ipso obedimus et concordamus cum ewangelio Christi, in quo multum de virtute elemosinarum instruimur. Et iterum confessionis vestre, dico, "in simplicitate communicationis in illos et in omnes", id est in simplici communicatione erga illos, ubi animus simplex esse debet et sincerus. Multi enim sunt, qui simplicem animum, immo duplicem habent, qui, ut beatus Jeronimus⁵³² dicit, parvulam escam in hamo ponunt, ut magnum piscem sibi attrahant.

ᵃ Luceant—est] *inter lineas et in margine*

---

⁵³⁰ Matth. 5,16
⁵³¹ Psalm. 104,1; 105,1; 106,1.
⁵³² Ep. 52 (PL 22, 535): Sunt, qui pauperibus paulum tribuunt, ut amplius accipiant; et sub praetextu eleemosynae quaerunt divitias, quae magis venatio appellanda est quam eleemosynae genus. Sic bestiae, sic aves, sic capiuntur et pisces. Modica in hamo esca ponitur, ut matronarum in eo saeculi protrahantur.

Et iterum "in obsecratione ipsorum pro vobis". Vestra enim gloria et laus, quod tanti viri pro vobis orant.

Ipsorum, dico, "desiderantium vos", videre scilicet in vita eterna vel etiam hic[a] "propter eminentem gratiam", id est dilectionem Dei, que in vobis eminet.

"Gratias Deo". Quia videlicet Deus ita[b] alios per alios ditat conferendo his dona sua, ut et ipsi etiam aliis habundent, igitur "gratias Deo", ago, scilicet, subaudis, "super inenarrabili", id est de ineffabili, "dono eius", quod in omnes redundat.

---

[a] videre—hic] *inter lineas*
[b] ita] *inter lineas*

"Ipse autem." Hic aliud ingreditur facere, illis videlicet
persuadere, ut pseudoapostolos, qui sibi detrahebant, notent
et eorum consortium vitent. Contra quos multa ipse dicturus est, ut ora illorum reprimat, quia illi multum ei[a] derogabant, in cuius messem supervenientes zizania sua
superseminaverant.[b] Et ex eo incipit dicens: "ego ipse
Paulus", cui obediendum est in Christo, "obsecro vos per
mansuetudinem et modestiam Christi", id est sicuti vos
vultis Christum mansuetum iudicem et modestum vobis
invenire. Ego dico, qui semper eram "humilis in facie inter
vos", id est exhibebam semper humilitatem in conspectu
omnium vestrum. Et qui etiam "absens" modo "confido de
vobis",[c] id est fiduciam habeo,[d] ut michi obediatis in
omnibus.

"Rogo autem". Istud *rogo* est idem cum *obsecro* et est
quasi repetitio propter ea, que interponuntur. Vel etiam
ad terrorem incutiendum appositum est, quasi dicat: Bis
obsecro vos, ut nisi feceritis et michi obedieritis, intelligatis
me[e] venturum cum virga ad vos. Et hoc est: "Rogo" vos
ita videlicet vitam vestram corrigere, "ne", cum fuero "presens, audeam in quosdam", id est contra quosdam de vobis,
hoc est audacter corrigam illos. "Per eam", videlicet "confidentiam", id est per illam fiduciam, quam habemus in
Christo. Per eam quidem confidentiam audeam, "qua existi-
mor audere". In quosdam, dico, qui "arbitrantur nos"
tamquam "secundum[f] carnem ambulemus", id est carnaliter
vivamus. Sed non est verum, quia "in carne ambulantes",

---

[a] ei] *inter lineas*
[b] in cuius—superseminaverant] *inter lineas et in margine*
[c] vobis] *om.*
[d] habeo] *inter lineas*
[e] intelligatis me] *inter lineas*
[f] secundum] *inter lineas*

id est carne utentes tamquam instrumento Domini, "non militamus secundum carnem", id est militias carnis non sequimur, sed spiritus.

"Nam". Et vere non secundum carnem militamus, quia nec etiam "arma nostre militie carnalia sunt", id est talia, quibus carnales utuntur veluti Aristoteles vel Plato, sed "potentia" neutraliter[a] "Deo", id est per Deum, quibus resisti non potest, quia, cum steteritis ante reges et presides, nolite cogitare, quid loquimini; dabitur enim vobis in illa hora, quid loquamini. Non enim estis vos, qui loquimini, sed spiritus patris mei, qui loquitur in vobis.[553]   Arma, dico, potentia "ad destructionem munitionum", id est ad destruendas munitiones, id est philosophicas rationes. Hec autem arma sepius habent idiote et simplices homines ad convincendum fortia mundi et Christi inimicos, ut magis appareat virtus Dei. Veluti in quodam concilio factum est, ubi maximus fuit conventus ad quendam mirabilem hereticum confutandum, qui tam novi quam veteris testamenti[b] omnes expositiones ad manum habebat; cui nemo omnium, qui aliquid esse videbantur, quicquam facere potuit. Tamdem homo quidam idiota surgens in medio, qui nichil esse existimabatur, quesivit a maioribus, ut darent ei locum loquendi cum illo. Illi autem timentes, ne derisui haberent eos iudei et gentes, qui ad audiendum convenerant, non permiserunt eum loqui. Cuius tamen instans protervitas vicit et sue questionis exordium a fide sumens ad hereticum conversus est. Tu, inquit, frater,[c] credis, quod Deus incarnatus sit, quod ingressus, quod egressus sit per clausam portam?— Credo, aiebat.—Huius ergo ingressionis vel egressionis scis nobis modum[d] ostendere?—At ille: Nescio.—Quomodo ergo, miserrime hominum, ad ulteriora procedis, qui nec etiam 132v fundamentum fidei intelliges. || Ille autem confutatus statim

---

ᵃ neutraliter] *inter lineas*
ᵇ testamenti] *inter lineas*
ᶜ frater] *inter lineas*
ᵈ modum] *inter lineas*

---

533 Matth. 10, 18-20

ad pedes omnium prostratus est adorans Deum et ab illis tamquam frater receptus est.

"Destruentes". Quasi dicat: Nos, dico, "destruentes consilia", id est munimenta iudeorum, qui quasi inito consilio semper legem consulunt super interrogationibus suis vel responsionibus. Et quid irem per singula. Nos, dico, destruentes "omnem altitudinem", id est omnem humanam scientiam, que altos, id est inflatos facit. "Extollentem se adversus scientiam[a] Dei", id est, que se extollit etiam adversus sapientiam Dei, cui, qui eam habent, non eam imputant, sed tamquam ex se habentes gloriantur.

Et nos etiam, dico, "redigentes omnem intellectum in captivitatem", id est omnem intellectum hominis quasi captivum facientes et omnino confutatum tamquam in carcerem ponentes, cum nobis nemo resistere possit. Et hoc sepe, videlicet "in obsequium Christi", quoniam frequenter de confutatis aliquos ad Christum convertimus.

Et rursus nos, dico, "habentes in promptu", id est in manifesto, "ulcisci", id est punire, "omnem inobedientiam", id est quoscumque de vobis inobedientes. Ecce duo dixit: unum contra pseudo, cum dixerit: destruentes et omnem altitudinem extollentem se adversus scientiam Dei; alterum vero ad terrorem Corrinthiorum, cum supposuerit dicens: et in promptu habentes ulcisci omnem inobedientiam, ne videlicet huiusmodi fugiant nec eis consentiant contra doctrinam Christi. "Cum impleta." Quasi dicat: Ulcisci, dico, omnem inobedientiam, sed non prius quam, "cum impleta", id est non antequam videam, si volueritis[b] obedientes esse in eis, que dicta sunt supra: Nolite iugum ducere cum infidelibus.[534] Que enim conventio Christi ad Belial.[535] Propter quod exite de medio eorum.

"Que secundum faciem". Quasi dicat: Et ut attendatis,

---

[a] scientiam] *om.*
[b] volueritis] *correctum ex* volueris

---

[534] II Cor. 6,14
[535] II Cor. 6,15

quibus potius obediendum sit, vel michi vel illis potius, ut
ad presens de voluntate, quam videt Deus, pretermittamus,
videte opera nostra, de quibus iudicat homo. Attendite
opera mea, quia, si michi non creditis, operibus credite.
Attendite et illorum opera, quoniam ex fructibus eorum cognoscetis eos. Et hoc est "videte", id est attendite, ea videlicet, "que secundum faciem sunt", id est, que in manifesto
sunt, nisi videlicet opera mea habundantiora apparent. Et
ideo, "si quis" inter vos "confidit Christi" etc., id est de se
confidentiam hanc habet, quod videlicet sit membrum
Christi, "cogitet", id est attendat penes se, "iterum", id est
sepe, "hoc" videlicet, quia quemadmodum "ipse Christi est,
ita et nos. Nam et si". Quasi dicat: Bene dixi: ita et nos,
quia etiam si dixero: amplius et nos, erubescentiam non
incurram. Et hoc est: "Nam et", id est etiam, "si amplius
gloriatus fuero de nostra" videlicet "potestate" etc. "Ut
autem". Acsi diceret: Dedit nobis Deus potestatem in
edificationem et in destructionem vestram. Et ideo hoc
consilium do vobis, "ut non amplius existimer" a vobis
"tamquam terrere vos per epistolas". Pseudo enim detrahentes apostolo dicebant in epistolis suis eum minacem esse
et quandam potentiam pretendere et dominium; presentem
vero imbecillem et humilem esse. Et ideo eum timori non
multum habendum esse astruebant, cum videlicet aliud dicat
et aliud faciat. Et hoc est "quoniam quidem epistole", mee
videlicet, "inquiunt", scilicet pseudo, "graves et fortes
sunt", id est in epistolis meis astruunt me gravem et fortem
esse, id est minari et quandam fortitudinem ostendere, cum
tamen, ut aiunt, presens infirmus sim in corpore et humilis
in sermone.

"Hoc cogitet" ergo, quia videlicet ita et ita de me loquuntur,
igitur "cogitet", id est attendat unusquisque, "qui huiusmodi" est, "hoc" videlicet, quia "quales" etc. "Non enim"
scilicet, si amplius aliquid gloriatus fuero, non erubescam,
quia nos non ascribimus nobis, quod numquam fecimus,
quemadmodum illi, qui in alienam messem venientes me-
tunt, quod non sparserunt, dicentes se illos et illos conver-

tisse, qui aliorum predicatione conversi sunt. Et hoc est, quia "non audemus", id est nolumus istam presumptionem facere tum propter Deum, tum etiam propter pudorem seculi, ut videlicet inseramus, id est comparemus nos illis, hoc est, similes nos illis faciamus, qui de alienis laboribus seipsos commendant. Sed "ipsi metimus nosmetipsos in nobis", id est non extendentes nos supra id, quod sumus, imo metimur nos nobis, id est mensuram servamus non excedentes nos, secundum quod sumus vel facimus. Quod exponit dicens: et "comparantes" etc. Ille enim se sibi comparat, qui talem se invenit, qualem se facit. "Nos autem". Vere metientes, quia nos "non gloriamur" de nobis, id est non dicimus aliqua in commendatione nostri "in immensum", id est ultra modum, ut videlicetᵃ dicamus nos, quod non fecimus, fecisse. Sed "secundum mensuram regule", id est secundum modum et regulam tam vite quam predicationis nostre, qui in commendatione nostra nec vitam nostram nec predicationem excedimus; que etiam aliis regula et mensura esse poterit, ut videlicet eo modo vivant et predicent, quo nos predicamus vel vivimus. "Qua" scilicet regula "mensus est nobis Deus", id est quam regulam nobis contulit Deus ad mensuram, qui nichil inordinate facit. Quasi dicat: Quemadmodum Deus eo modo,ᵇ quo oportuit, de nobis disposuit, ita et nos modum et mensuram sue dispositionis non excedimus.

Mensuram, dico, "mensuram pertingendi usque ad vos", quia vos etiam estis sub regula mea contenti et inclusi, cum vos Christo per ewangelium genuerim. Et nota illud *usque* inclusivum esse.

"Non enim". Vere pertingendi usque ad vos,ᶜ videlicet in hoc, quod dicimus vos in regula nostra comprehensos esse.ᵈ "Non superextendimus nos", id est non excedimus vos "quasi non pertingentes ad vos", id est tamquam ad vos non pertingeremus.

ᵃ ut videlicet] *inter lineas*
ᵇ modo] *inter lineas*
ᶜ vos] *add. et del.* quod
ᵈ esse] *inter lineas*

"Usque ad vos enim". Vere in hoc non superextendimus nos, quia revera predicatio nostra pervenit ad vos. Et hoc "usque" etc.

Nos, dico, "gloriantes non in immensum", id est supra mensuram. Quod exponit dicens: "in alienis laboribus", quemadmodum illi, qui alienos labores sibi ascribunt.

"Spem autem". Dico non gloriantes, sed "habentes spem fidei vestre crescentis", que videlicet cotidie crescit in vobis. Eam scilicet non solum in vobis "magnificari", id est augeri de die in diem, sed etiam in aliis exemplo vestri. Et hoc "secundum regulam nostram", id est secundum predicationem nostram, que iam in vobis firmata est, cui vestram vitam tamquam regule conformare debetis. "In habundatiam", quasi dicat: Et habentes etiam spem "ewangelizare", id est predicationem nostram pervenire usque ad illa "loca, que ultra vos sunt". Et hoc "in habundantiam", donorum videlicet Dei, ut et illi exemplo vestri[a] habundent in[b] donis Dei, quemadmodum et vos.

"Non in aliena". Et iterum nos dico spem habentes. "Non gloriari in aliena regula", id est de aliena predicatione tanquam in messem aliorum venientes. "In his", videlicet locis, "que iam preparata sunt", id est in illis, qui iam labore alieno conversi sunt, tamquam videlicet per me essent conversi, sicut et illi presumunt facere. Sed tamen sive ego glorier sive alii, ita esto, ut unusquisque, "qui gloriatur, in Domino glorietur", id est gloriam et commendationem non ad se applicet, sed ad Deum, cuius gloriam in omnibus querere debemus. "Non enim". Dixi: glorietur in Domino et in se videlicet et bene, quia "ille, qui se ipsum commendat", id est qui se finem commendationis ponit, "non est probatus", id est acceptus, hoc est apud Deum laude dignus. "Sed" ille acceptus est Deo, "quem" videlicet "commendat Deus", id est qui in sua commendatione non se, sed Deum statuit finem.

---

[a] exemplo vestri] *inter lineas*
[b] in] *inter lineas*

[CAP. 11.]

"Utinam". Quasi dicat: Et quamvis non sit probatus, nisi quem Deus commendat, etiamsi Deus non existimaretur finis,[a] "utinam" tamen "sustineretis", id est toleraretis, "modicum quid insipientie mee", id est, ut modicum meipsum commendem, quod tamen scio michi reputandum esse pro insipientia.

Sed tamen "supportate me", id est precipio, ut hanc meam stultitiam supportetis, id est sustineatis. Et debetis me supportare, quia ego "emulor", id est magnum fervorem erga vos habeo. Et quia est fervor bonus et fervor malus, ideo supponit: "emulatione Dei", quasi dicat: Eum fervorem magnum habeo erga vos, quem Deus approbat. Et hoc inde apparet, quia videlicet "despondi", id est desponsavi vos Christo, videlicet tamquam "uni viro", et ad hoc videlicet, ut ei exhibeatis "virginem castam", id est integritatem vite. De qua virginitate Jeronimus[536] dicit super Jonam, astruens neminem sibi mortem debere in ‖ ferre, 133r nisi, ubi castitas periclitatur, id est vite integritas. Ad hanc enim servandam et Christo exhibendam, ut non periclitetur, homo sibi manus imponere debet. Quemadmodum in Sansone factum est, cui familiare preceptum erat revelatum, ut sibi manus imponens cum ipsis periret hostibus, ut non viveret dedecus sibi et genti sue. De quibusdam etiam virginibus, que seipsas interfecerunt, quibus tamen cimiteria consecrata sunt, dicit beatus Augustinus[537] dubium esse, quid de eis dicendum sit, nisi dicatur, quod et ipse familiare mandatum a Deo acceperint, ut in constantia virginitatis ceteris darent exemplum.

---

[a] etiamsi—finis] *inter lineas et in margine*

---

[536] Hieronymus, *Commentariorum in Jonam lib.* 1 (PL 25,1129).— Cf. Abaelard., *Sic et Non* c. 155 (PL 178,1603).

[537] Augustinus, *De civitate Dei* lib. 1 c. 26 (PL 41,39).—Cf. hoc et ad praecedentia.

"Timeo autem". Despondi vos, sed "timeo" etc. "Corrumpantur", per pseudo videlicet apostolos. "Excidant", id est cadant, "a simplicitate", id est a simplici et sincera doctrina Christi, que nichil furfuris habet. "Nam si". Timeo, inquam, de vobis, ne vos seducant. Sed, si meliora predicarent, non solum non timerem, sed etiam recte paterer. Nam et vos recte pateremini. Et hoc est "nam si is, qui venit", id est qui non est[a] missus a Deo, sed per se venit. "Alium Christum", id est meliorem redemptorem.[b] "Alium spiritum", id est meliora dona. "Aliud ewangelium", id est meliorem legem. "Recte", non solum ego, sed etiam et vos "pateremini".

Sed modo patiendum non[c] est, cum non melius predicent quam ego. Quia "existimo" etiam "me nichil minus fecisse magnis apostolis", id est illis, quos pro magnis apostolis habetis, id est Petro, Jacobo et Johanne, qui in monte fuerunt cum Domino. Et vere non minus, quia, "etsi imperitus sermone", id est etsi non sim multum expeditus in sermone, ea tamen, que scio, melius alios doceo quam, qui est lingue expeditioris. Balbutiens enim sepe melius balbutientem docet quam perplexus philosophus, cui est sermo expeditissimus. Unde magister Babio, cum esset balbutiens, melius tamen docere sciebat quam multi, qui hodie sunt expeditiores.

"In omnibus". Quasi dicat: Et in omnibus, que dico, advoco vos testes, quia "in omnibus manifestati sumus vobis". "Aut numquid" etc. Acsi diceret: Vere non minus feci vobis, nisi in hoc, quod a vobis nichil accepi, quemadmodum alii apostoli ab illis, quibus predicant. Sed istam condonate michi iniuriam.

"Ut vos exaltemini", id est ut pseudoapostoli non deprimerent vos querendo vestra aliqua occasione mei.

"Alias ecclesias" etc. Et vere gratis ewangelizabam vobis,

---

[a] est] *super lineam*
[b] non solum non—redemptorem] *in margine*
[c] non] *inter lineas*

quia alie ęcclesie ministrabant michi necessaria, que tamen
ipse non querebat.ᵃ

"Ad ministerium vestrum", id est interim, dum predicarem
vobis.

"Est veritas". Et vere servabo, quia "est veritas Christi
in me", id est iuro per Christum, qui veritas est, quoniam
"hec gloriatio", quod videlicet non vivo de predicatione mea,
quemadmodum alii apostoli. "Ut" videlicet "inveniantur"
illi pseudo "sicut et nos", id est tales, quales et nos in hac
parte.

"In quo", quod videlicet tales inveniantur, illi "gloriantur". Et vere in hoc gloriantur. "Nam huiusmodi" etc.,
id est faciunt se sepe similes veris apostolis. 'Et" hoc non
"est mirum", quia etiam diabolus, qui est caput illorum,
transfigurat se frequenter in bonos angelos. Et hoc est,
quia etiam ipse "satanas transfigurat se in angelum lucis",
id est in bonum angelum, qui semper fruitur luce divina.
"Quorum finis", id est exitus et remuneratio, "secundum
opera ipsorum", id est secundum ista, que contra Deum ope-
rantur.

"Iterum dico". Dixi supra: Utinam sustineretis modicum
quid insipientie mee,[538] sed et supportate.ᵇ Et "iterum" hoc
"dico, ne" videlicet "quis", id est aliquis vestrum, "putet me
insipientem", in ista videlicet commendatione mea contra
speudoapostolos, ut ora eorum compescamus. "Alioquin"
etc., id est si nolueritis me accipere tamquam sapientem,
oportet, ut me accipiatis tamquam "insipientem", quia ego
semper volo dicere, quodcumque horum faciatis. Ego enim
pisam sub lingua mea habeo, quod non possum me tenere,
quin dicam, quod videlicet linguam meam rodit. Et hoc est
"alioquin" etc., "ut" videlicet "et ego", quemadmodum illi,
"quid glorier", sed tamen "modicum", id est mensurate, quia
et ista mea ad Deum finem omnium referetur commendatio.

ᵃ que tamen—querebat] *inter lineas*
ᵇ sed et supportate] *inter lineas*

---

[538] II Cor. 11,1

"Quod loquor". Velut insipientem, quia "quod loquor", "non loquor secundum Deum", id est reputabitur michi quasi secundum Deum non sit,[a] sed "quasi in insipientia", id est tamquam illud, unde insipiens esse notabor. "In hac substantia glorie", id est in hoc fundamento gloriationis, quod iam ponet.

"Quoniam multi". Quasi diceret aliquis: Quare vis gloriari? "Quoniam" videlicet multi[b] "gloriantur secundum carnem", id est de illis, que ad carnis dignitatem spectant, dicentes se esse de semine Abrahe et similia.

"Et" ideo "ego gloriabor", ut gloriam illorum confutem, qui contra me gloriantur. "Libenter enim". Dixi, ne quis me putet insipientem esse. Alioquin accipiat me velut insipientem, quia vos "libenter" sustinetis "insipientes" etc. Sapientia aliud est quam scientia, sicut Tullius in rethoricis[539] dicit, qui sapientiam eloquentie iunctam plurimum prodesse astruit. Non enim sapiens dicitur aliquis propter scientiam multam, quam habeat, sed ille, qui scientia, quam habet, eo modo, quo melius intelligit, utitur; insipiens vero, qui hoc negligit. Et hoc est "libenter suffertis", id est supportatis, "insipientes", id est illos lecatores, qui eo modo, quo oportet, scientia sua negligunt uti. "Cum" vos tamen "ipsi sitis" fortasse "sapientes", id est tales, qui illud, quod intelligitis, ad eum finem, ad quem oportet, applicatis.

"Sustinetis enim". Et vere suffertis, quia "sustinetis", id est toleratis.

"Si quis vos in servitutem redigit", id est si quis vos reducit ad iugum legis, que servos facit cogens nolentem etiam obedire.

"Si quis devorat", id est vestra dilapidat. "Si quis accipit", id est per violentiam capit vestra more ancipitris, qui ex violentia vivit iuxta illud: Odimus ancipitrem, quia semper

---

[a] sit] *supra* esset
[b] multi] *inter lineas*

---

[539] *De inventione rhetorica* lib. 1 n. 1 (**M.** *Tullii Ciceronis opera*, Biponti, 1780, 134).

vivit in armis.[540] "Si quis extollitur", id est effert se contra
vos vel etiam contra me in aliquo. "Si quis vos in faciem
cedit", id est coram nobis quelibet opprobria inicit et vobis.
"Secundum ignobilitatem", id est omnia ista dico ad ignominiam vestram, quia vos tolleratis, qui tolerandi non sunt.
"Quasi nos". Vos alios libenter suffertis et me non vultis,
quasi "nos infirmi fuerimus", id est debiles et imbecilles, "in
hac parte", id est in aliquo huiusmodi, de quo illi iactant,
quod et nos ad nostram commendationem applicemus. Acsi
diceret: Non sumus infirmi, quia "in quo" etc., id est: Quid
est illud, de quo aliquis presumit gloriari, de quo etiam ego
gloriari non possim. Quasi dicat: Nichil, quia si etiam
dixerit quis: "Hebrei sunt et ego; Israelite sunt" etc.,
inculcatio verborum est. "Ut minus". Quasi dicat: et
plus etiam ego.

Sed hoc "dico", dicet aliquis, "ut minus sapiens", quia videlicet inde minus sapiens esse notabor.

"In laboribus". Et vere plus ego, quia in omnibus istis, et
hoc est "in laboribus plurimis". Labores autem dividit. Et
hoc est "in carceribus habundantius, in plagis supra modum", id est talibus, quas humana natura tolerare non posset, nisi Deus per miraculum eam sustineret. "In morti-
bus", id est in mortalibus periculis.

"A iudeis" etc. In lege transgressoribus XLta debebantur
percussiones, que corrigiis fiebant. Sed semper, ut aliqua
exhiberetur misericordia, una percussio remittebatur, ut rei
minus una XLta reciperent. Paulus ergo a iudeis inter-
ceptus, quem transgressorem esse astruebant, quinquies ab
illis "quadragenas", id est XLta percussiones una minus
accepit. "Ter virgis cesus", verberatus et hoc virgis. Pre-
dicte enim verberationes fiebant corrigia[a] una vel pluribus.
At memini, inquit philosophus, quod hodie apud iudeos[b] percussiones ille levissime sunt, nisi fortasse tunc temporis gra-

---

[a] corrigia] *inter lineas*
[b] apud iudeos] *inter lineas*

---

[540] Ovidius, *Ars amatoria,* 2,147.

viores essent, cum lex illorum in multis modo sit laxior quam primitus.

"Semel lapidatus", ut in actibus apostolorum habetur. "Ter naufragium feci", id est passus sum, hoc est[a] ter naufragus fui. "Nocte et die in profundo maris fui", id est in medio 133v maris in multis videlicet[b] periculis, ‖ sed tamen sine naufragio.

"In itineribus sepe". Multa videlicet mala passus sum. Quod ostendit quasi per partes dicens: "periculis fluminum", que me multum impediebant. "Periculis latronum", qui videlicet me in via sepe expoliabant. "Periculis ex genere", meo videlicet, id est iudeis. "Periculis ex gentibus", id est gentilibus. "Periculis in civitate, periculis in solitudine", quia, ut supra, foris pugne et intus timores. 'Periculis in mari", que tamen de mari non erant,[c] ut superiora, sed a piratis illata, qui eum sepe in mari infestabant. "Periculis in falsis fratribus". Ab his autem multum patiebatur apostolus. Iudei enim conversi nolebant legem suam cassari, sed eam premitti tamquam in fundamento, sicut et ipsa precessit. Et ideo apostolum, qui omnia legalia interdicebat, quantum poterant, ei parabant insidias. Unde, cum ascenderet Jerosolimam, ut legem cassaret, multi falsi fratres cum illo ascenderunt, ut eum impedirent apud magnos apostolos. De quibus in sequentibus. Sed propter subintroductos falsos fratres, qui subintroierunt explorare libertatem nostram, neque ad horam cessimus subiectioni, ut veritas ewangelii permaneret.

"In labore et erumna". Ad singula ista reddit singula. "In vigiliis multis", ecce labor. "In fame et siti", ecce erumna. "In ieiuniis multis", iterum labor. "In frigore et nuditate", iterum erumna. "Preter illa", acsi diceret: Et hec omnia, que dicta sunt, passus sum, in quibus plus ego quam illi. "Preter illa" etiam, que videlicet iam dicam. "Que sunt extrinsecus", id est que ab extrinseco michi insunt ex com-

---

[a] passum sum hoc est] *inter lineas*
[b] videlicet] *inter lineas*
[c] erant] *inter lineas*

passione videlicet proximi, cuius dolorem meum[a] facio. Et
hoc est "cotidiana sollicitudo", id est assidua, est "mea
instantia", hoc est cura omnium fidelium michi instat assidue, de quibus adeo sum sollicitus, ut quodcumque periculum
eis accidit, meum reputem. Quia "quis infirmatur", in fide
videlicet, et ego "non infirmor", id est non doleo infirmitatem eius meam faciendo. Et "quis scandalizatur", id est
vitiatur, tribulatur, "et ego non uror", igne scilicet doloris
eius cruciatus meos reputans. Sed hodie quis est, qui in se
regnoscit ista vel etiam ante Christum vel post Christum.
Preter Christum enim non fuit aliquis tanti meriti, quia
omnibus plus laboravit, ut beatus dicit Jeronimus,[541] qui
fuit virgo et martir[541a] Et quicquid de dilectione Dei dicatur, preter Christum non fuit, qui tantum proximum dilexerit, quia quis, ut hoc loco dicit, infirmatur et ego non infirmor. Quis scandalizatur et ego non uror.

"Si gloriari oportet", quia videlicet omnes istas tribulationes propter Deum sustineo tam in me quam in aliis, igitur, "si gloriari oportet", id est si aliqua oportet me inducere ad commendationem mei, illa inducam, que ad infirmitatem meam spectant, id est tribulationes illas, que in
carne mea infirma omnibus apparent. Virtus enim, quamdiu latet in animo, apud homines commendationem non
prebet et in se etiam est quasi sopita, cum homo, qualis ipse
sit, nondum congnoscit. Quando vero in carne per aliquas
tribulationes extra apparet et in se ipsa persona probatur
et apud alios commendabilis est et id, quod prius in mente
latuit, ad commendationem illius postmodum induci potest.
Et ideo dicit: "si gloriari" etc., id est gloriandum est michi
de aliquo. De passionibus meis gloriari volo, in quibus ego
ipse michi placeo, cum aliquam vicem in talibus potero

---

[a] meum] *inter lineas*

[541] Hieronymus, Ep. 58 n. 1 (PL 22,580).—Cf. Abaelard, *Expositio
in epist. Pauli ad Rom.* lib. 1 c. 1 (PL 178,790).
[541a] Cf. Hieronymus, Ep. 22 (PL 22,407): Quia et ipse, ut esset
virgo, non fuit imperii, sed propriae voluntatis.—Cf. Abaelard., *Expositio in epist. Pauli ad Rom.* lib. 1 c. 1 (PL 178,790).

Christo recompensare iuxta illud: Ibant gaudentes a conspectu iudicii, quoniam digni habiti sunt pro Christo contumelias pati.[542]

Sed queritur, quomodo gaudium cum dolore esse potest.

[143*]Bene, inquit. Homo enim placet sibi et quamdam hilaritatem in mente habet, quamvis tamen doleat, cum dolorem suum et passionem permultum utilem esse attendit.

"Deus et Pater". Quasi dicat: Gloriabor, inquam, id est ad gloriationem meam inducam ea, que infirmitatis mee sunt, nec in aliquo mendacium incurram, quia "Deus et Pater" etc., id est Deum Patrem advoco testem, quia non mentior in eis videlicet, que iam dicam, sicut nec in eis, que iam dixi.

"Qui est benedictus", id est cuius laus manet per omnes temporum successiones. In omni enim successione temporum, quecumque fiunt, suum creatorem predicant. Unde quidam sapiens bene dixit, quod nulla creatura est, que sensum non habeat in Deum.[543] Quecumque enim operatur Deus, faciunt nos aliquid de Deo sentire, et ad gloriam illius nos invitant.

"Damasci". Ecce incipit[a] infirmitatem suam manifestare. Et hoc est "Damasci", id est apud Damascum, "prepositus gentis", id est qui preerat genti regis "Arethe", proprium nomen, qui erat pater Herodiadis, "custodiebat civitatem Damascenorum", ut videlicet "me comprehenderet" etc.

---

[a] incipit] *add.* suam

---

[542] Act. 5,41
[543] Cf. Abaelard., *Theologia* lib. 1 c. 15 (PL 178,1006).

[143*] Cf. Abaelard., *Expositio in ep. Pauli ad Rom.* lib. 4 c. 12 (PL 178,942D sqq.).

[CAP. 12.]

"Si gloriari". Quasi dicat: Et non solum in istis, que sunt infirmitatis meę, gloriabor, sed etiam, si "oportet gloriari", id est aliqua inducere ad commendationem mei, ut illi omnino obmutescant.

"Veniam ad visiones" etc., id est ea magnalia Dei, que super hominem sunt,[a] inducam, que michi revelata sunt. Quod autem interponit: "non expedit quidem", notat gloriationem non expetibilem esse, id est propter se non[b] appetendam, sed propter Deum, ut, qui gloriatur, ut supra meminit, in Domino glorietur, et se ipsum etiam ad hanc gloriam coactum accedere, ut iam dicet: Vos me coegistis.

"Scio hominem". De illis revelationibus vel visionibus divinis incipit. Et, cum de se dicat, verbum tamen contemperat, quasi de alio sit, dicens: "Scio hominem". Noluit enim dicere: ego Paulus raptus sum. Ita etiam Moyses, tamquam de alio esset, ait: Erat autem Moyses homo mitissimus,[544] non: ego Moyses. Et hoc est "scio hominem in Christo", de membris Christi, "raptum", a Deo videlicet, et hoc ante XIIII annos. Dicit hoc loco beatus Ambrosius,[545] quod, cum tanto tempore ante id ei revelatum fuerit nec alicui fortasse dixerit, manifestum est, quod ad istam gloriationem venire coactus est.

Scio, inquam, hominem "huiusmodi" raptum usque ad "tertium celum". Raptum, dico,[c] "sive in corpore" etc. In illo enim raptu tantum fuit anima illius intenta divinis, quod dicit se nescire, an in raptu illo in corpore remanserit vel

---

[a] sunt] *inter lineas*
[b] non] *inter lineas*
[c] dico] *inter lineas*

---

[544] Num. 12,3
[545] Non apud Ambrosiastrum, *Comment. in epist. II ad Cor.* c. 12 (PL 17,329 sqq.) Cf. tamen ad v. 11 (PL 17,331).

non, id est utrum anima in corpore remanens tunc aliquam administrationem per sensus ipsos exercuerit vel nullam, hoc est an[a] aliquem effectum, quem in corpore habere solet, tunc habuerit vel nullum.

De raptu isto usque ad tertium celum videndum est. Et dicunt visiones divinas IIIes esse: aliam videlicet corporalem, aliam spiritualem, aliam intellectualem. Et est corporalis visio Dei, quando Deus per aliquam speciem corpoream revelat homini aliquid. Veluti cum in rubo Moysi apparuerit. Spiritualis vero visio est, ut aiunt, cum videlicet non[b] per res ipsas, sed per rerum imagines aliquid nobis revelatur. Veluti si quis Romam imaginetur vel Cartaginem, quam numquam viderit. Intellectualis autem revelatio est, quando Deus non per speciem aliquam, sed per se ipsum revelat se alicui quasi facie ad faciem, ut videlicet, sicut apostolus dicit, cum primum viderit per speculum in enigmate, tunc facie ad faciem videat, ubi, cum primitus omnia habuerit speculum Dei, habet Deum speculum omnium rerum, in quo cognoscit de omnibus, quantum oportet. Ad hanc autem visionem raptus est apostolus, quam tertium celum appellat, quia hec revelatio aliis duabus, quamvis et ipse sint eminentes, supereminet. In hoc autem raptu dicit se nescire, an in corpore fuerit vel extra, quia, cum Moyses Deum rogaverit, ut eum videret, dixit ei Dominus: Non videbit me homo et vivet.[546] Hoc autem intelligens, nisi Deus per aliquod miraculum hoc fecerit, subiunxit: nescio sive in corpore etc. Hoc est in illa visione tantum fuit anima mea intenta Deo, quod non animadverto, an tunc aliquam administrationem in corpore habuerit vel nullam. Sic etiam dicimus neminem bonum in civitate illa esse, cum tamen aliqui ibi sint, sed paucissimi, quo modo fortasse dictum est: Nemo videbit Deum et vivet, ut generaliter dicatur, quod in paucis evenit et hoc per aliquod Dei miraculum.

---

[a] est an] *inter lineas*
[b] non] *inter lineas*

---

[546] Exod. 33,20.

Aliud etiam dicere || videtur. Sunt enim in celestibus IIIes **134r** eminentie creaturarum. Quippe sunt ibi anime sanctorum, que sunt primum celum, deinde angeli, qui sunt quasi secundum celum, qui plus cognoscunt de[a] Deo quam multe anime fidelium, quibus et ipsi angeli, qui sunt spiritus creati non ad vegetationem corporum, multa intimant et subministrant. Est et ibi anima Christi,[b] quam hic appellat tertium celum, que omnibus creaturis in cognitione Dei eminentior est, in qua sunt omnes thesauri sapientie et scientie Dei absconditi, que etiam aliis omnibus potest[c] ministrare[d] de Deo,[e] quantum oportet. Usque ad hanc ergo eminentiam raptus est, id est ad animam Christi, que ei intimavit per se ipsam, quicquid erat necessarium.

Secundum hanc autem lectionem non gravat predicta obiectio: quoniam videlicet non videbit me et vivet, cum Deum non viderit, sed animam Christi, que per se ipsam illi, quantum oportuit, revelavit.

"Et scio". Idem repetit, sed, ut addat, et hoc est "scio" etc. In "paradisum", id est in illam eminentiam usque ad animam Christi. Et "audivit arcana verba", id est revelata sunt illi talia, "que non licet homini loqui", id est carnali manifestare, sed spirituali, sicuti beato Dionisio, cui ipse multa revelavit. Vel "que non licet homini", id est ad que manifestanda et disserenda non sufficit humana infirmitas. Multo enim melius nonnulla quis intelligit quam queat ipse explicare.

"Pro huiusmodi". Quasi dicat: Et quamvis non loqui liceat illa, tamen "gloriabor pro huiusmodi", id est huiusmodi ad gloriationem mei possum inducere. Sed tamen "pro me" nichil, id est pro me in talibus non gloriabor, quasi ex me sint, quia ista sunt supra me, "nisi [in] infirmitatibus meis", que videlicet precipue[f] ad me spectant, tamquam sint

---

[a] de] *inter lineas*
[b] Christi] *inter lineas*
[c] potest] *inter lineas*
[d] ministrare] re *inter lineas*
[e] de Deo] *inter lineas*
[f] precipue] *inter lineas*

ex me.   Vel "pro me nichil" etc., id est nulla adeo ad commendationem mei[a] pertinent sicuti ea, que sunt meę infirmitatis, in quibus qualis sim in mente, extra appareo.

"Nam et si".   Pro huiusmodi gloriabor et bene, quia "et si voluero", in talibus videlicet "gloriari, non ero insipiens", id est indiscretus, quoniam ego "veritatem dicam", id est non excedam.   Ille autem excedit, qui ad eum finem, ad quem oportet,[b] commendationem suam non applicat.

"Parco autem".   Si voluero, inquam, gloriari, non ero insipiens, sed tamen "parco" tam michi quam aliis, ut non glorier, "ne" videlicet aliquis "existimet me" etc., id est, ne aliquis putet me supra hominem esse, Deum videlicet vel angelum, sicut quidam fecerunt, qui eum et Barnabam pro diis reputarunt et voluerunt illis tamquam diis sacrificia facere.

"Et ne revelationum".   Ita, ut dixi, facte sunt michi revelationes.   "Et" ideo, "ne" videlicet "magnitudo revelationum", id est magna iste revelationes, "extollat", id est ponant me extra me ,ut in me glorier, "datus est michi" a Domino "stimulus".   Dicunt quidam stimulum istum fuisse quandam infirmitatem in corpore illius, quam caducum morbum appellant;[c] alii incentum libidinis, unde multum gravabat eum[d] nequam spiritus.   "Ut me colaphizet", id est humiliet, ne videlicet in aliquam elationem veniam.   Veluti si Cesar salutaretur ita :   Chere, Cesar anicos, id est salve, Cesar invicte, navus, qui cum illo in curru erat, cum stimulo pungebat[e] eum dicens :   Esto memor tui.   Memento, quia homo es.[f]

"Propter quod", id est propter quem stimulum, "ter Dominum rogavi", id est trinam feci orationem.   Hec triplex oratio est consecrata tam in veteri quam in novo testamento. In veteri, quia hostiam templi aperuit ad orientem et triplicem orationem faciebat.   In novo, quia tertio Dominus ora-

---

[a] mei] *add. et del.* tantum
[b] oportet] *in margine*
[c] morbum appellant] *in margine*
[d] eum] *inter lineas*
[e] pungebat] pungebant
[f] veluti cum—es] *inter lineas et in margine*

bat in monte. Quod ergo dicit "ter Dominum rogavi", id
est trinitatem invocavi, "ut" videlicet "discederet", et "dixit
michi", scilicet Dominus: "Sufficit" etc., id est in hoc etiam
proficit tibi gratia mea, quia "virtus [in] infirmitate perficitur", id est integra et perfecta apparet tum in se per probationem, tum in aliis per imitationem.

"Libenter igitur". Quia videlicet in infirmitate perficitur,
igitur "libenter gloriabor", id est libet michi gloriari, "in
infirmitatibus meis", que videlicet infirmitates ad hoc sunt,
"ut inhabitet" etc., id est non solum ut in me^a sit, sed etiam
in me esse appareat propter alios "virtus Christi", id est
gratia illa, quam Christus dedit.

"Propter quod". Quia videlicet ad hoc sunt, ut in me scilicet inhabitet virtus Christi, "placeo michi" attendens tantam utilitatem ex passionibus meis provenire, ut videlicet
in hoc non solum Christo vicem recompensem vel michi ipsi
proficiam, verum etiam proximo exemplum prebeam.

"Infirmitatibus" carnis, "in contumeliis", opprobriis, "in
necessitatibus", quia esurimus et sitimus. "In persecutioni-
bus", quando videlicet nos homines persequuntur. "In angustiis", mentis videlicet, cum interior homo angustiatur.
Et omnibus istis, dico, "pro Christo", id est non ad me, sed
ad Christum applicatis, cui omnes nostras debemus pas-
siones, ut videlicet ipse sit finis, non nos.

"Cum enim". Dixi: Placeo michi in infirmitatibus, et
bene, quia, cum etiam "infirmor, tunc potens sum", quia^b
secundum tribulationem in carne dat Deus constantiam in
mente. "Factus", acsi diceret: Ego quedam dixi in commendatione mea, in quo tamquam insipiens reputatus sum.
Sed hanc meam insipientiam vobis reputo, qui me debuistis commendare. Cum enim reos vicinos habuerim, coactus meipsum commendavi. Et hoc est "factus", id est reputatus, in hac videlicet mea commendatione. Sed id vobis
imputandum est, quia "vos coegistis", id est, quoniam, cum^c

---

^a me] *inter lineas*
^b quia] *add. et del.* Deus
^c cum] *inter lineas*

vos volueritis, coactus accessi, quod vestrum erat facere, quia ego "debui a vobis commendari". Et vere debui, quia "nichil" etiam "minus" etc., quos videlicet pro maximis reputatis.

"Tamen". Quasi dicat: Et tamen, etiam "si nichil sum", id est nullius sim pretii in comparatione illorum, debuistis quidem, quia vester sum apostolus, quicquid de aliis dicam. Et hoc est[a] "quia signa[b] tamen" etc. Non tamen dicit: quia vester sum apostolus, vel simpliciter apostolus, sed quia "signa apostoli", id est mei apostolatus etc.—multi enim inter illos dicebant eum non esse apostolum—, quasi dicat: Quoniam, etsi me non dicatis apostolum, tamen apparet, quia apostolus sum, per ea, que Deus operatus est per me apud vos.[c]

"Quid enim est". Et vere non minus, quia "quid est, quod minus" etc., id est nisi quod[d] ego de vestro nichil accepi. "Donate", id est condonate. "Ecce tertio." Iam multum eos admonuit et ad corectionem invitavit. Modo, ut citius corrigantur et a pseudo se retrahant, eis suam promittit presentiam dicens: "Ecce tertio", id est tertia vice, "paratus sum", id est presto sum, "venire ad vos, hoc", id est propter vestram correctionem. Vel "tertio hoc", id est hac tertia vice.[e] "Gravis", in inpensis. "Non enim". Et vere non ero gravis, quia ego, qui pater vester sum, "non quero, que" etc., ut videlicet lucrer vos Deo.

"Nec enim". Et bene dixi: non quero, quia "filii non debent" etc. Si Romanus pontifex istud attenderet, qui pater omnium esse debet, non ita expoliaret ęcclesias, nisi forte dicam, quod hanc epistolam non legerit.

"Ego autem". Quia filii non debent patribus thesaurizare, nec vos michi, sed ego tamen "libentissime impendam", vobis videlicet omnia mea de vestra semper salute sollicitus.

---

a est] *inter lineas*
b signa] *om.*
c vos] *sequitur vacuum tertiae partis lineae*
d quod] *inter lineas*
e vel—vice] *in margine*

Et ego ipse etiam "superimpendar", si videlicet opus fuerit, ne a Christo avellamini.

"Licet" etc., id est quamvis ego vos plus diligam et vos me minus diligatis. "Sed esto". Diceret aliquis: Sit modo, quod tu nichil acceperis, sed misisti post te giezitas tuos, Titum videlicet et alios, ut callide et astute eos circumvenires. Hanc autem ipse obiectionem faciens removet istud dicens: "Sed esto", id est sit modo, quod videlicet ego de vobis nichil acceperim. Et hoc est: ego non "gravavi vos, sed" dicet aliquis: "cum essem astutus, dolo", calliditate mea, vos circumveni.

"Nunquid". Quasi dicat: Non est verum, quia "numquid" etc. "Rogavi". Vere non per aliquem, quia neque per Titum neque per alium. Et hoc est "Rogavi" etc. "Nonne eodem spiritu", id est eadem caritate. Ita utique, quia et ipse eundem affectum dilectionis erga vos semper habuit, quem et ego.

"Eisdem vestigiis", id est eisdem etiam exhibitionibus, ut videlicet quemadmodum ego[a] amorem illum, quem erga vos habeo, vobis foris exhibui, ita et ille apud vos in eadem dilectione conversatus est.

"Olim". Rursus, quia homines sepe solent excusationem pretendere in ea re, cuius et ipsi rei sunt, ut et ipsi a se culpam removeant, ideo apostolus et hoc precidit dicens: "olim", id est iam dudum, fortasse "putastis, quod nos excusemus", id est in istis queramus excusationem apud vos, tamquam rei simus.

Sed ego "coram Deo in Christo loquor", id est iuro per Deum ita, quod Christus michi non proficiat, quod videlicet hec mea gloria non evacuabitur non solum apud Corinthum, verum etiam per totam Achaiam.

Et "omnia" illa facimus "propter vestram edificationem", ne, si ego acceperim a vobis, alii habentes occasionem, qui occasionem querunt, vestra diriperent, qui vos non querunt, sed vestra. Et hoc est "propter edificationem vestram", id est, ut vos edificemini, qui nondum ad plenum edificati ad-

---

[a] ego] *inter lineas*

huc ędificandi estis in magna parte. Quod inde apparet, quia videlicet ego "timeo, ne forte' etc. "Qualem non", id est cum baculo. "Ne forte". Timeo, inquam, et istud, "ne" videlicet "contentiones", in verbis, quod unus videlicet dicebat: ego Pauli.[a] "Emulationes", invidie. "Animositates", invasiones temerarie. "Dissensiones" in fide. "Detractiones" manifeste. "Susurrationes", id est detractiones occulte. "Inflationes", id est superbie. 'Seditiones" in civitate. Et propter hec omnia timeo de vobis, "ne" videlicet iterum, "cum venero, Deus humiliet", id est contristet me de vobis, de quibus gaudere debeo, et "lugeam multos ex his", id est qui sunt de numero illorum, qui videlicet "ante" missionem epistole "peccaverunt" et 'non egerunt", id est nondum. "Super", id est de, "immunditia" quacumque, quam per species dividit dicens: "et fornicatione et impudicitia", id est naturali vel contra naturam.

---

[a] quia—Pauli] *inter lineas et in margine*

[Cap. 13.]

|| "Ecce tertio". Repetit de adventu suo, ut magis sibi **134v** provideant. Et hoc est "ecce" etc. Diceret aliquis: Quid dicis tu: ecce et ecce nemo, quasi multum timendum sit. Sed quomodo convinces eos unus contra omnes.

Bene utique possum illos convincere, quoniam idoneos testes inducam et ita convincentur, quia "in ore duorum" etc. Et ideo timete vobis, quia "predixi ut presens", id est sicut presens predixi, ita[a] et adhuc etiam "predico absens", et ita "his", his videlicet, "qui ante" missionem epistole notati fuerunt in peccatis.[b]

"An experimentum". Diceret iterum aliquis: Cum ita mineris, in cuius viribus confidis? Ad quod ille: In viribus Christi Jhesu, quia "an experimentum eius" etc., id est an vultis experiri patientiam Christi, qui "in me loquitur"? Non enim estis, qui loquimini, sed spiritus Patris vestri, qui loquitur in vobis. "Qui", videlicet Christus, "non infirmatur in vobis", id est contra vos, sed "potens est in vobis", id est contra vos. Et vere potens, quia etsi "crucifixus ex infirmitate", videlicet carnis, "sed", id est tamen, iam "vivit ex virtute Dei", id est indeficienter sicut Deus, quo etiam et nos potentes sumus, "quia et nos", qui videlicet sumus infirmi, "sumus in illo", tamquam membra in capite nostro, quo vigemus. "Sed vivimus". Infirmi, dico, sed tamen "vivimus in vobis", id est potentes sumus in vobis, "ex virtute", id est ex gratia illa, que data est nobis[c] a Deo "in illo", id est per illum, scilicet Christum.

"Vosmetipsos", acsi diceret: Dixi, quoniam, si venero iterum non parcem potens in vobis et virtute Dei, sed ut imbecilles inveniamur non invenientes, quid in vobis iudicemus. "Temptate vosmetipsos", id est iudicate. Si enim

---

[a] id est sicut—ita] *inter lineas et in margine*
[b] in peccatis] *in margine*
[c] nobis] *inter lineas*

nosmetipsos diiudicaremus, non utique iudicaremur a Domino. Dominus enim permittit nos nostro iudicio, ut id, quod in nobis est corrigendum, libere iudicemus, volens nos iudicio proprio iudicium suum vitare, ad quod ipse quasi coactus accedit.

At vero latro aliquis, si hoc modo de se iudicium facere posset, non multum iudicem metueret, cuius iudicium ipse preveniret. Preveniat ergo multo magis unusquisque summum iudicem, qui potest corpus et animam in gehenna perdere.[546a]

"Si estis". Temptate, dico, "si" videlicet "estis in fide", quod exponit dicens: "ipsi vos probate", id est iudicate consulendo animas vestras, si fueritis in Christo. Diceret aliquis: Et possumus id facere? Ita utique, quia none "cognoscitis vosmetipsos", quia videlicet "Christus Jhesus in vobis" per amorem? "nisi reprobi", quasi dicat: Revera cognoscitis, nisi a Deo reprobemini.

"Spero autem". Non solum illud spero vos cognoscere, sed etiam istud, quod videlicet nos "non sumus reprobi", id est a Deo reprobati, quamvis nonnulli inter vos de nobis id estiment.

"Oramus autem". Dixi: Vivimus in illo ex virtute Dei in vobis, id est ad corrigendum vos. Sed "oramus Deum" etc., id est, ut vita vestra sit irreprehensibilis, quantum in vobis est, ut videlicet eo modo vivatis, quo Deus approbat. Et quia hoc dare Dei est, super hoc Deus orandus est.

"Non". Illud oramus. "Non" utique istud, "ut" videlicet "probati pareamus", id est probi[a] appareamus. Iudex autem probus apparet, quando, quod ulciscendum est, ulciscitur, in quo tamquam superior videtur. Hanc probitatem non desiderat apostolus, imo vult potius, ut infirmus inveniatur, illi vero potentes, non habentes, quid in eis corrigatur. "Ut reprobi", id est non probi, hoc est infirmi, non invenientes videlicet, quid in vobis ulciscamur.

---

[a] probi] *inter lineas*

[546a] Matth. 10,28

"Non enim". Diceret aliquis: Etsi nos bonum facimus, estis vosᵃ reprobi, id est infirmi et imbecilles in iudicio. Ita utique, quia "nosᵇ non possumus" quicquam contra veritatem. Immo pro "veritate" tenenda et tuenda potentes sumus per Christum, qui veritas est.

"G̃audemus enim". Oramus, ut vos, quod bonum est, faciatis, non autem, ut reprobi simus, quia "gaudemus", quando "nos infirmi sumus", id est invalidi apparemus, non invenientes, quid corrigamus. "Vos autem potentes", id est quando videlicet vos inreprehensibiles estis. Tunc enim homo potens est, quando inreprehensibiliter vivit non timens prelatum suum, imo quem timet. Veluti de monachis etiam palam est, qui, cum bone vite fuerint, non multum abbates suos timent,ᶜ sed ab illis timentur. Et tunc potius abbates subiecti sunt monachis suis, quam monachi abbatibus. Si vero reprehensibiles fuerint, contra abbatem nil audent, sed ei semper sunt ad pedes. Et ideo abbates, qui timeri volunt, potius volunt monachos, qui digne timeant, quam qui timeantur.

"Hoc et oramus". Gaudemus, inquam, quando potentes estis. "Et hoc", id est propter hoc, ut videlicet potentes sitis, "oramus vestram consummationem", id est vestram perfectionem, ut in eo videlicet, in quo incepistis, consumemini.

Et "ideo hec absens scribo" volens vestram correctionem, "ut" videlicet "presens", id est cum ad vos venero, "non agamᵈ durius", videlicet quam velitis. Et hoc "secundum potestatem in edificationem", id est, ut edificemini in salutem et "non in destructionem", id est non ad dampnationem.

"De cetero". Finiturus epistolam apostolus, quia multum eos exasperaverat, ne desperent, vult eos in gaudio dimittere more comicorum, qui quantacumque in primis fuerit discordia, semper ad concordem exitum veniunt. Sic etiam

---

ᵃ vos] *inter lineas*
ᵇ nos] *inter lineas*
ᶜ timent] *inter lineas*
ᵈ vestram—agam] *in margine*

psalmi quantumcumque lectorem prius exasperent, in fine
semper in aliqua letitia eum dimittunt.   Ita et apostolus
post illa aspera relinquit eos in pace dicens: "De cetero",
id est insuper istud subnecto, scilicet "gaudete", ne videlicet
in desperationem veniatis, quamcumque commovi vos, quia
ex caritate dixi, quicquid dixi.   Et ne intelligeret quis de
gaudio lecatorio, subponit: "perfecti estote" habentes Dei
dilectionem et proximi.   "Exortamini" unus alium.   "Idem
sapite", id est non dissentiatis in fide, sed conveniatis.   Et
sic "pacem habete".   Et Deus "dilectionis et pacis", id est
cuius est dare dilectionem et pacem, "erit vobiscum", id est
perseverabit.

"Salutate".   Illam salutationem in osculo sancto in singulis
epistolis in fine commemorat apostolus.   Volebat enim, ut
illi, quibus scribebat, accepta epistola se statim invicem
oscularentur in memoriam illius, quem et ipsi oscularentur,
si veniret. Et hoc est: "salutate in osculo", et hoc "sancto",
non lecatoris osculo vel proditoris.   Propter hoc etiam sta-
tutum est osculum in missa vel eulogie ille, que in ecclesiis
fiunt, ut quasi quandam federationem ineamus et securita-
tem invicem promittamus, quod videlicet alter alteri aliquid
mali in die illa vel septimana non machinabitur postmodum.
"Salutant vos omnes sancti", qui videlicet sunt apud nos.

"Gratia Domini" etc.   Hic breviter Trinitatem assignat, ut
in nomine Trinitatis tamquam in fine huius epistole eos
consignet.   Et dicit beatus Ambrosius[547] hoc loco, quod ordinem, qui servatur in hoc versiculo: in nomine Patris et
Filii et Spiritus Sancti, hic mutavit apostolus, ne videlicet
aliqua dignitas videretur esse in personis, preponens hoc loco Filium Patri, cum ait: "Gratia Domini" etc. Quod autem
dicit: Gratia Filii, caritas Patris, communicatio Sancti
Spiritus, pro eodem accipitur.   Non enim aliud dat Filius,
aliud Pater, aliud Spiritus Sanctus, sed sicut eorum est[a]

---

[a] est] *inter lineas*

---

[547] Non apud Ambrosiastrum, *Comment. in epist. II ad Cor.* c. 13
(PL 17,338 sq.).

eadem substantia, eadem voluntas, ita et eadem est distribu-
tio. Communicationem tamen Sancti Spiritus dicit, ut Spiritum Sanctum Patri et Filio insinuet esse communem, cuius
etiam nomen, id est Spiritus Sanctus, aliis IIbus personis
commune est, sicut beatus Augustinus[548] asserit, sed tamen
huic persone tamquam proprium in distinctione Trinitatis
assignatum est.   Tale est ergo "gratia Domini" etc., acsi
aperte dicat: Dona habeatis a Patre et Filio et Spiritu
Sancto, qui est utrique communis.   Amen.

---

[548] Augustinus, *De Trinitate* lib. 15 c. 19 n. 37 (PL 42,1086) et lib.
5 c. 11 n. 12 (PL 42,919).

"Paulus"[a] etc. Galate, quibus scribitur epistola hec, ab apostolo conversi fuerunt, sed postmodum a doctrina Christi in observantias legis eversi. Post discessum enim apostoli pseudoapostoli, qui de iudeis erant, volentes adhuc iudaizare, eos ita everterunt, ut non crederent Christum et doctrinam eius ad salutem sufficere, nisi etiam legem tenerent cum suis observantiis, quam pseudo cum suis sacramentis tamquam in fundamento debere poni astruebant; deinde ewangelium cum suis superaddi. Et ita prava illorum doctrina inducti sunt in carnales cerimonias et iugum legis. His ergo scribit apostolus, cuius intentio est eos revocare ad ewangelicam sufficientiam et libertatem. Materia vero illius triplex est, sua videlicet commendatio. Pseudo enim apostoli multum ei detrahebant dicentes eum non esse apostolum, cum Christum non viderit nec ab eo electus fuerit, quemadmodum ceteri, ut ita ei detrahentes sua documenta magis confirmarent, tamquam eius doctrina nulla esset, cum Christum non audierit. Ideo autem contra ista improperia quedam in commendatione sua ponit. Commendatio etiam Christi et doctrine illius et legis impugnatio. Christum enim ostendit sufficientem esse et doctrinam eius. Legem vero impugnat ostendens in ea nullam iustificationem esse.

---

[a] Paulus] aulus

[Cap. 1.]

Salutationis autem sue premissionem ante ponit et a sua commendatione incipit dicens: "Paulus apostolus". Et illud, quod ei maxime improperabatur, ad commendationem et prerogativam sue electionis convertit. Et hoc est "Paulus apostolus non ab hominibus", factus videlicet, id est per electionem hominum, sicut Barnabas, qui electus est in apostolatum per alios apostolos et ei associatus in predicatione gentium. Et quia posset per unum hominem eligi[a] veluti per Petrum vel per alium ‖ hominem, supponit "neque per ho- 135r minem". Et, sicut dicit Jeronimus,[549] hominem accipit hoc loco pro mortali. Et est tale, acsi diceret: Ego[b] electus non sum neque a mortalibus pluribus neque ab uno, sed ab immortali. Et hoc est, quod subiungit: "sed per Jhesum Christum" etc., id est per illum iam a mortuis resuscitatum, cum videlicet homo non fuerit. Et ita ostendit, quod sua electio multo melior est et excellentior quam illorum etiam, qui pro magnis reputabantur, quia ipse ab immortali, ipsi vero a mortali electi sunt.

Et "qui mecum", id est non solum Paulus, sed etiam "qui mecum sunt fratres", mandant, subaudis, "ecclesiis Galatie", hoc videlicet: "Gratia vobis" etc., ut supra expositum est.

"Qui dedit". Christo, dico, qui "dedit" etc. Ecce ad commendationem Christi se convertit, quem monstrat sufficientem esse, qui non vitulum vel hircum, sed se ipsum pro nobis hostiam dedit, que sufficit remotis omnibus aliis hostiis.

---

[a] eligi] *correctum ex* elegi
[b] Ego] *add.* sum

---

[549] Cf. *Commentariorum in epist. ad Gal. lib.* 1 c. 1 (PL 26,335 sq.). Cf. Pelagius, *Expositio in epist. ad Gal.* c. 1 (PL 30,841). Sed nusquam ad verbum.

[144*]"Pro peccatis nostris", id est, ut peccata nostra tolleret. "Ut", videlicet per amorem nobis infusum per mortem suam et passionem, "eriperet nos de presenti seculo nequam", id est de secularibus, qui de eternis non cogitant, sed ista presentia semper appetunt, qui videlicet in nequitia sua perseverant. Et hoc non secundum merita nostra, sed "secundum voluntatem" etc., "cui est gloria" etc., id est per omnes successiones.

"Miror'. Facta salutatione de negotio suo agit, et hoc est "miror" etc., id est quod tam cito translati estis a Deo. Per quod notat eos insensatos esse et in hoc nullam habuisse discretionem, qui tamquam insensibilia, quorum est transferri de loco ad locum, a gratia Christi tam cito et sine omni recalcitratione inducti sunt in honera legis. Et hoc est "in aliud ewangelium", id est in predicationem et doctrinam legis, quam illi sua predicatione perversa faciunt aliam, id est contrariam meę predicationi, qui omnino post Christum circumcisionem et ceteras legis observantias interdico, quam et ipsi econtra tenendam esse predicant ex auctoritate legis, que dicit: Omnis anima, cui caro non circumcidetur,[a] peribit de populo meo.[550]

"Quod" tamen, scilicet ewangelium, "non est aliud", id est contrarium mee doctrine. Circumcisio enim etiamsi tenenda esset, non estis vos, gentes, constricti legis auctoritate circumcidi. Quibus enim precepta fuerit, ibidem habetur, cum dicitur: Hoc pactum faciam inter me et te et semen tuum,[551] id est Ysaac, qui in semine reputatus est.

Ipsa etiam lex non omni tempore tenenda fuit dicente Domino per prophetam: Dabo testamentum secundum novum,[552] non tale, quale dedi filiis Israel, quando eduxi eos de terra Egipti, quia et ego ipse per legem legi mortuus

---

[a] circumcidetur] *correctum ex* circumdetur

[550] Gen. 17,14.
[551] Gen. 17,10
[552] Baruch 2,35

[144*] Cf. Abaelardus, *Expositio in epist. Pauli ad Rom.* lib. 2 c. 3 (PL 178,836).

sum, quantum videlicet supervenientibus novis vetera pro-
icietis.ᵃ

"Nisi quod". Non est aliud, dico, "nisi quod" etc., id est
nisi secundum hoc, quod illi astruunt, quasi dicat: Non est
aliud, sed illi aliud esse asserunt. Veluti si dicat quis: ego
non sum ignavus, nisi secundum quod vos dicitis, hoc est:
non sum ego ignavus, sed vos dicitis.

"Conturbant" prava sua doctrina. "Et volunt convertere
ewangelium", qui videlicet predicant Christum et doctrinam
eius non sufficere.

"Sed licet". Illi aliud predicant. Sed ego dico: etiamsi
"nos" ipsi etc., "preter" id videlicet, "quod ewangelizavi-
mus", id est aliud, contrarium videlicet. Aliter enim et
omnes doctores ęcclesie sub anathemate essent, cum aliquid
semper superaddiderint, sed tamen nonᵇ contrarium.

Ideo autem Greci, qui dicunt Spiritum Sanctum a Patre
procedere et non a Filio, astruunt nos anathematis reos esse,
qui dicimus et a Patre et a Filio procedere. In IIIIor enim
eorum magnis conciliis, Niceno videlicet et ceteris, que et
nos recepimus, confirmatum est, ut, si quis adderet aliud,
anathema esset.⁵⁵³ Vos autem, inquiunt, aliud additis.
Quare et anathema estis. Eodem autem modo possunt
astruere Christum anathematis reum esse, qui, cum in lege
dictum fuerit: si quis verbum addiderit, anathema est,
addidit dicens: Nisi iustitia vestra plus habundaverit quam
scribarum et phariseorum, non intrabitis in regnum celo-
rum.⁵⁵⁴ Et iterum: Dictum est antiquis: Diliges amicum
tuum et odio habebis inimicum tuum. Dico autem: Diligite inimicos vestros, benefacite persequentibus vos.⁵⁵⁵

"Sicut prediximus". Idem repetit, ut magis id confirmet,

ᵃ Ipsa—proicietis] *inter lineas et in margine*
ᵇ non] *inter lineas*

---

⁵⁵³ Denzinger-Bannwart, *Enchiridion*, n. 125.—Cf. F. Gietl, *Die
Sentenzen Rolands nachmals Papstes Alexander* III (Freiburg, 1891),
34 nota.
⁵⁵⁴ Matth. 5,20
⁵⁵⁵ Matth., 5.43 sq.; Luc. 6,27 sq.

quasi dicat: Dixi: anathema sit. Et "nunc iterum dico,
sicut prediximus: anathema", id est divisus sit a vobis.
"Modo enim". Diceret aliquis: Tu, qui ita commendas
ewangelium et legem impugnas, nonne dudum econtra facie-
bas? Ita, frater. Sed iam mutavi sententiam. Temporibus
sapiens mores sine crimine mutat.[a] Et bene, quia modo
non quero hominibus placere, id est carnalibus, sicut et olim,
quamvis tamen et alibi dicat: querens hominibus placere.[555a]
Homines enim hic carnales appellat, ut supra: None homines estis?, id est carnales. Et hoc est, quia modo "suadeo
hominibus", id est predico, ut "hominibus", id est carnalibus
placeam, an Deo? Deo utique et non carnalibus. Prius
enim, etsi zelo legis legem Christi impugnaret, non tamen[b]
ita sincere id faciebat, quod iudeis non quereret placere, a
quibus accepit epistolas, ut, quoscumque viros huius vie invenerit, vinctos perduceret Jerusalem.[556]

"Aut quero hominibus". Expositio prioris, quasi dicat:
Non quero, quia, "si adhuc", sicut prius, "hominibus", id
est placerem carnalibus, "non essem servus Christi".

"Notum enim". Redit ad commendationem suam conti-
nuans istud adhuc, quod dixerat, neque ab hominibus neque
ab homine, quasi dicat: Et vere non sum factus apostolus
ab hominibus vel ab homine, quia "notum vobis", quia
videlicet "ewangelium", id est doctrina, que a me predicata
est, "non est secundum hominem", id est secundum instructionem hominis.

"Neque enim". Et vere non est secundum hominem, quia
"nec" ego "accepi ab homine neque" ab homine "didici, sed
est", scilicet predicatio mea, "secundum revelationem Jhesu
Christi", id est Jhesus Christus michi revelavit, non homo,
qui videlicet apparuit michi in via dicens: Saule, Saule,
quid me persequeris?[557] "Audistis enim". Quod non ab

---

[a] mutat] more; temporibus—mutat] *in margine*
[b] non tamen] *inter lineas*

[555a] I Thess. 2,4
[556] Act. 9,2
[557] Act. 9,4

homine didicerit, probat, quia neque ab apostolis neque
ab aliis. Sed premittit de statu illo, in quo erat, antequam
ad christianismum venisset. Et hoc est "quia audistis conversationem meam in iudaismo", id est qualiter conversatus
est in genere meo, quando videlicet iudaismum tenebam.
Ita videlicet, quoniam "supra modum", id est vehementius
quam alii de genere meo.

"Et proficiebam" contra Christum et membra illius "supra
multos coetaneos meos", id est, qui erant meę etatis. Et
hoc "in genere meo habundantius" quam alii; "emulator",
servator, "paternarum mearum" etiam, non dico legis solum-
modo, "traditionum". Preter legem enim quedam a patribus
tradita erant, que et ipsi servabant. Veluti de vino; iudei
enim de nostro vino non[a] bibunt.

"Cum autem". Quasi dicat: Ita persequebar ęcclesiam
Dei, sed postmodum, "cum ei", id est Deo, "placuit, qui me
segregavit de", id est de sinagoga, que erat mater mea. Et
"vocavit", non meis meritis,[b] ut apparet per predicta, sed
"per gratiam suam", id est dono suo gratuito, ad hoc, "ut
revelaret filium suum in me, ut" videlicet "ewangelizarem",
id est predicarem, "illum in gentibus, continuo", id est post
istam vocationem statim, "non adquievi carni et sanguini",
id est carnaliter viventibus. Per sanguinem enim vita
accipitur, quia in liquore isto maxime viget. Unde dicitur:
omnis vita in sanguine est.

"Neque enim". Diceret aliquis: Id esto. Sed postea ad
alios venisti apostolos vel ad alios, a quibus didicisti legem
Christi. Falsum est, quia neque ab apostolis neque ab aliis.
Et hoc ponit, et primum, quod non ab apostolis; deinde,
quod non ab aliis. Et hoc est, quia "neque veni Jerosolimam" ad "antecessores meos apostolos", qui videlicet ante
me fuerunt apostoli. Sed statim "abii" etc. "Videre Petrum",
non causa videlicet discendi ab eo, "et mansi apud illum diebus XV", conferendo videlicet predicationes nostras ad invicem, quid ille iudeis, quid ego gentibus predicabam, ad
quod unus dies non sufficiebat.

---

[a] non] *inter lineas*   [b] meritis] meis

"Alium autem". Rursus diceret aliquis: Etsi non a Petro didicisti, tunc didicisti ab alio apostolo. Non utique, quia tunc[a] "alium" apostolorum non "vidi" aliquem nisi Jacobum fratrem Domini", a quo etiam nichil accepi. Sed illi a me acceperunt, ut iam dicet.

"Que autem". Quasi dicat: Et ut credatis, "ecce coram Deo". Iuramentum est, acsi diceret: Deum advoco testem, quia videlicet "non mentior" in his, "que vobis scribo".

"Deinde". Postquam videlicet videram Petrum et Jacobum, "deinde veni in partes Sirie et Cilicie", ut eis Christum predicarem.

"Eram autem". Diceret et iterum aliquis: Sit modo, quod ab apostolis non accepisses, accepisti ab aliis fidelibus, qui te precesserunt. Non est verum, quia ego adhuc "eram ignotus facie", quia me nondum[b] viderant, "ęcclesiis" etc., id est fidelibus illis, qui erant in Judea, qui videlicet ante me crediderant. Sed illi tantum "habebant," de me videlicet, "auditum", id est famam. Hanc scilicet, "quoniam qui" etc. "Ewangelizat", id est predicat. "Impugnabat", id est infestabat. "Et in me clarificabant Deum", id est de conversione mea glorificabant Deum.

---

[a] tunc] *inter lineas*
[b] nondum] dum *inter lineas*

"Cum Barnaba et Tito", id est cum his IIobus, quos mecum assumpsi. ‖
"Secundum revelationem", id est per Spiritum Sanctum, qui revelabat michi necessarium esse, ut ascenderem.

"Et contuli" etc., id est cum magnis apostolis contuli predicationem meam, que gentibus destinata est. Sed tamen "seorsum his", id est separatim cum his, id est Petro scilicet, Jacobo et Johanne, antequam videlicet in publicum venirem,ª ostendens illis, quid ego, et querens, quid illi predicarent. Sed quare seorsum cum illis primum contulit, causam iam subnectet. Propter quosdam videlicet falsos fratres, qui cum illo venerant, ut eum impedirent, volentes legem servari cum circumcisone et ceteris observantiis, quas ille omnino interdicebat.ᵇ Et ideo primum cum illis contulit, ne, si continuo inciperet, qui subintroducti erant, tumultum facerentᶜ et ita non facile ei assentiretur.

"Sed neque". Contuli, dico, cum illis, sed in illa collatione "Titus" etiam, de quo magis videretur. "Sed propter subintroductos". Seorsum cum his, et non sine causa, imo "propter subintroductos libertatem", id est liberam nostram predicationem, que liberos facit et non servos, ut non quasi coactus serviat quisᵈ Deo, sed libere. Qua libertate Christus nos liberavit.

"Ut nos". Subintroierunt, dico, ad hoc, "ut" videlicet nos "redigerent", id est reducerent, "in servitutem", id est in iugum legis, que nolentes etiam ad obedientiam constringebat. Quibus scilicet subintroductis etiam tunc "ad horam non cessimus", id est nullo modo cedere, id est assentire voluimus.

ª antequam—venirem] *inter lineas et in margine*
ᵇ quas—interdicebat] *inter lineas*
ᶜ facerent] facent
ᵈ quis] *inter lineas*

"Subiectioni", id est, ut eis subiaceremus in aliquo. Alias tamen assensit eis, vellet nollet, cogentibus eum circumcidere Timotheum et ipsum etiam Nazareum fieri.

"Ut veritas". Non cessimus, dico, et hoc ideo, "ut veritas" etc., id est, ut ewangelica doctrina, que vere sufficiens est, maneat apud vos gentes sine socio.

"Ab his". Acsi diceret: Nostras predicationes cum predicationibus illorum contulimus. Et in illa[a] vestra inquisitione "nichil mea interest", id est nichil michi prodest dicere videlicet, "ab his", id est de his, "qui videbantur aliquid esse", id est maiores esse. "Quales tunc fuerunt", id est quam simplices tunc apparuerunt.

"Deus autem". Diceret aliquis: tante sunt persone ille, de quibus loqueris. Sed quid apud Deum de personatu illarum, quia "Deus non accipit" etc., sed virtutem animi. Unde et illi, quamvis apud homines accepti sint, non ideo tamen apud Deum sunt meliores.

"Michi autem". Nichil mea interest, dico, sed hoc unum scio, quod illi "michi" nichil "contulerunt". "Sed econtra", a me videlicet accipientes, cum "vidissent, quod creditum", id est a Deo michi commendatum. "Preputii", id est gentium, quarum apostolus specialiter est iste. "Circumcisionis", id est iudeorum.

"Qui enim". Interpositio, quasi dicat: Et vere creditum est michi sicut et illi, quia Deus, "qui operatus" etc.

"Et cum congnovissent". Repetit propter interpositionem "gratiam", id est officium predicationis, quod non meritis meis, sed ex gratia Dei michi iniunctum est.[b]

"Dextras dederunt michi et Barnabe societatis", id est firmam promiserunt nobis[c] societatem, hoc est federationem inierunt nobiscum. Et quia apud homines solet fieri firma promissio per dextras ad invicem percussas, ideo dare dextras pro firmiter promittere posuit. Et ad quid dederunt dextras? Ut videlicet nos illud idem predicaremus gentibus,

---

[a] illa] *inter lineas*

[b] gratiam—iniunctum est] *in margine*

[c] nobis] *inter lineas*

quod illi predicabant iudeis? Non utique. Imo id "tantum" obsecrantes, ut "memores essemus" sanctorum "pauperum" in nostra videlicet predicatione, de quo tamen et ego ipse multum eram sollicitus.

"Cum autem". Illi michi nichil cotulerunt, sed ego contuli eis, quia, "cum venisset" etc., "in faciem", id est in manifesto, quia "reprehensibilis". Hec reprehensio Petri ex contemptu non erat. Bene enim credebat Petrus sciens, quod carnales ille cerimonie non proficerent quicquam ad salutem. Sed tamen in hoc errabat, quod videlicet, cum esset Anthiochie, quibusdam de iudeis venientibus a Jacobo Jerosolimitano episcopo cum illis iudaice viveret subtrahens se gentibus, cum quibus prius gentiliter vivebat comedens omnia more gentium, putans id multum ęcclesie proficere, quod magis nocuit et nociturum erat, quia iam multi de gentibus ad hoc erant inducti exemplo illius, ut crederent in illis legalibus aliquam iustificationem esse iam coacti iudaizare exemplo sui capitis.

Rursus, quia iudei astuti erant in lege sua, si viderent Petrum interdicentem observantias, quas lex precipiebat,[a] ei statim resisterent et dicerent eum contrarium esse Moysi, cui locutus est Dominus, et legi, que scripta est digito Dei. Ideo autem Petrus id metuens, quia super istis in reddendis rationibus non sufficeret, ad tempus tacere voluit timens, ne, si inciperet interdicere, cum convincere non posset, illi, qui de iudeis conversi erant, a fide devolarent. Paulus vero, qui astutior erat, cui lex nota erat, qui inde rationes reddere sufficiebat, omnino opera legis non esse tenenda convicit Petro etiam vivente attendens, quod si mortuo Petro vel ipse vel alius interdiceret, non reciperetur. Imo dicerent ei: Frater, super hoc nolumus te audire, quoniam in hoc Petrus, qui princeps erat ęcclesie Dei, mortuus est. Hoc tamen magna cautela tanto tempore dilatum est, ne, si in primitiva ecclesia, que a iudeis incepit Jerosolimis, ubi omnes conscribebant iudei, interdicerentur opera legis, ipsi iudei pro vilitate sue legis indignarentur contra fidem Christi nec ad

---

[a] precipiebat] *correctum ex* preciebat

eam vellent accedere, illi etiam, qui conversi essent, propter opprobrium gentis sue a fide fortasse[a] recederent. Et ideo multum fuit apostolo illas cerimonias removere difficile, quoniam iudei non erant nisi occupati in exterioribus.

"Prius enim". Vere reprehensibilis, quia "prius quam" etc. "Simulationi," quia aliud ostendebat et aliud credebat. "Quod non recte ambularent ad veritatem", id est secundum quod sufficientia ewangelii requirebat, quod non vult habere socium. "Gentiliter" etc., id est omnibus cibis utens. "Quomodo cogis iudaizare", tuo videlicet exemplo. Sed non est iudaizandum, ubi nulla est iustificatio, quia nos etiam, "iudei natura", id est naturaliter iudei, non proseliti, imo ex patre et matre iudei, et "non ex gentibus peccatores", quoniam non idolatre, quemadmodum gentes.

"Sientes" etc., id est quod nemo iustificatur ex legalibus illis observantiis, "nisi per fidem", qua videlicet creditur in Deum. "Et nos" etc. Hucusque suspenditur, quasi dicat: "et", id est etiam, nos "credimus in Christo, ut" videlicet ex "fide Christi iustificemur" etc.

"Propter quod". Quia videlicet nos iudei non iustificamur ex operibus legis, de quibus magis videretur, igitur "omnis caro", id est carnaliter vivens, "non iustificabitur", id est nullus carnaliter vivens ex operibus legis iustificationem adipiscetur.

"Quod si querentes". Acsi diceret: Nos relicta lege querimus in Christo salvari. "Quod", id est sed, "si iustificari in Christo, inventi et ipsi", sicut ceteri, "numquid" etc., id est numquid Christus peccatum nobis ministravit, per quem legem reliquimus, quam et ipse terminavit dicens: Usque ad Johannem lex et prophete, cuius etiam observantias plurimas in persona sua cassavit, cum videlicet et leprosum tetigerit, quod lex prohibet, et infirmum in sabbato curaverit dicens: Tolle grabatum tuum et vade.[558] Qui

---

[a] fortasse] *inter lineas*

---

[558] Joh. 5,8

iterum ait: Venite ad me, qui onerati estis, quia ego omnia
vestra deponam importabilia.ᵃ ⁵⁵⁹

"Absit", id est nequaquam peccati videlicet minister est.
"Si enim que". Ad hoc, quod superius dixerat, scilicet, si
tu, cum iudeus sis,ᵇ gentiliter et non iudaice vivis, quo cogis
gentes iudaizare, quasi dicat: Cum gentibus gentiliter vivis
et cum iudeis iudaice, in his destruens, quod in illis edificas
et inde reprehensibilis appares, quia, si ego, "que destruxi",
id est removeo, interdico, "iterum reedifico", id est predico,
"prevaricatorem me constituo" id est ostendo. Et in persona sua hoc dicit, ut id contemperet. "Ego enim". Diceret aliquis: Legem destruxisti. Destruxi quidem et
bene,ᶜ quia videlicet "mortuus sum legi", id est factus sum
non exhibens obedientiam legi, "per legem", id est per illud,
quod in lege est. Dabo novum testamentum, non tale, quale
dedi filiis Israel, quando eduxi eos de terra Egipti. Vel "per
legem", id est propter infirma legis precepta, que neminem
ad perfectionem ducebant. "Ut" videlicet legis cerimoniis
relictis "vivam Deo", id est ita pure Deo serviam, quod nullam fiduciam ponam in carnalibus munitus spiritualibus,
fide videlicet, spe, caritate. Et vere mortuus, quia "con-
fixus" etc., id est fixus sum cruci cum Christo, hoc est quemadmodum Christus totus cruci adhesit corpore, ita Christo
totus menteᵈ adhereo credens mortem et passionem illius
michi ad salutem sufficere omnibus aliis hostiis remotis, quoniam absit michi gloriari nisi in cruce Domini nostri Jhesu
Christi.⁵⁵⁹ᵃ Et ‖ ideo "vivam iam non ego", id est michi, sed 136r
Christo, ut videlicet ad hoc nitar, quod gloriam eius queram.
Et hoc est "vivit vero in me Christus", id est propter
Christum vivo, quia videlicet, quod "nunc vivo in carne", id
est quod in carne mea vitam habeo, "vivo in fide Filii Dei",

ᵃ Qui iterum—importabilia] *inter lineas et in margine*
ᵇ sis] sit
ᶜ hoc dicit—bene] *in margine*
ᵈ mente] *inter lineas*

---

⁵⁵⁹ Matt. 11,28
⁵⁵⁹ᵃ Gal. 6,14

id est propter filium Dei vivo credens in eum, ut eius videlicet gloriam queram, non[a] meam. Et merito, quia dilexit
me. Et hoc est "qui dilexit". Et vere dilexit, quia se ipsum
pro me tradidit, qua dilectione nemo maiorem habet, quam
quis animam suam pro amicis suis ponat.[560] Et hoc est "et
tradidit semetipsum pro me". Et cum tantam gratiam
michi exhibuerit, "ego non abicio gratiam Dei", id est non
abiectam faciam. Ille abicit, qui Christum et eius legem
non credit sufficere, quemadmodum vos facitis, qui ei socium
additis.

"Si enim". Non abicio, dico, et bene, quia, "si iustitia"
per legem, ergo "Christus gratis", id est pro nichilo, "mortuus".

---

[a] non] *inter lineas*

---

[560] Joh. 15,13.

[CAP. 3.]

"O insensati". Quasi dicat: Et quia in tantum errorem inducti estis, o vos "Galate insensati", id est insensibilibus comparabiles, qui tamquam insensibiles nullam rationem attendentes tam cito a Deo devolastis, dicite ergo: "quis vos fascinavit", id est ita vos corrupit, quod amplius "veritati", id est Christo, qui veritas est,[a] et vere discipline illius non obeditis.[b] Tractum est ab invido, qui ex magna malitia invidie, quam habet, dicitur visu etiam bona alterius corrumpere. Unde dicitur: Nescio, quis teneros oculus michi fascinat agnos.[560a] Vos, dico, "ante quorum oculos", id est in manifesto vobis presentibus, "prescriptus", id est exheredus factus est, quoniam, etsi partem hereditatis fortasse apud vos habeat, tamen in vobis hereditatem non habet, cuius socium fecistis Moysen. Et "crucifixus", id est mortuus est in vobis, qui tamen in me vivit.

"Hoc solum". Quasi dicat: Quamvis vos insensatos dixerim, tamen "hoc solum" volo a vobis dici, "an" videlicet ex "operibus legis accepistis Spiritum", id est dona Dei, an "ex auditu fidei", id est, quia assensistis[c] fidei, qua creditur in Christum, quasi diceret: Ex fide, cui assensistis, et non ex operibus legis, que fidem vestram subsecuta sunt. Ideo autem sic "stulti estis, ut" videlicet, "cum spiritu ceperitis" etc., id est cum in spiritalibus, fide videlicet, spe, caritate vivere Deo inceperitis, nunc queritis in carnalibus observantiis consummationem, id est perfectionem, ubi nulla est. Et quoniam id facitis, "tanta passi estis sine causa", id est sine utilitate. Isti enim iam multas tribulationes pro Deo toleraverant. Sed ne poneret illos in desperationem, supponit dicens: "si tamen sine causa".

---

[a] est] *inter lineas*
[b] non obeditis] *inter lineas*
[c] assensistis] assensisti

[560a] Vergilius, *Bucolica,* Ecloga 3,103.

"Qui ergo". Quia videlicet quesivi a vobis, igitur respondete. Et hoc est: "qui ergo vobis tribuit spiritum", id est
dona Dei, et qui etiam "operatur in vobis virtutes". Deus
enim tantam gratiam illis contulerat, quod aliis etiam, quos
mittebant predicare, per manuum impositionem dabant lin-
guis loqui, quod pro maximo reputabatur. An est hoc, inquam,[a] "ex operibus legis, an ex auditu fidei", eo videlicet,
quod fidei assensistis, et hoc sicut "Abraham", qui "credidit
Deo", id est qui Deo assensit per fidem coherens ei per
amorem, et ideo "reputatum est illi ad iustitiam". Et quia
ex fide iustificatus est Abraham, ergo "cognoscite", id est
attendite, quoniam "hii filii" sunt etc., id est imitatores eius
in fide. Et vere, qui ex fide sunt, quia "Scriptura providens",
id est provide attendens, quia videlicet "Deus iustificat ex
fide" et non ex operibus legis "gentes", id est eos, qui viventes more gentilium, qui lege naturali contenti sunt, in exterioribus fiduciam non habent. "Prenuntiavit Abrahe", id
est, dicit Deum prenuntiasse, hoc est prius dixisse Abrahe,
quam lex veniret, hoc videlicet, "quia benedicentur", id est
benedictionem accipient "in te", id est in fide tua, "omnes
gentes", id est omnes, qui more gentium in operibus legis
iustificationem non querunt.[b]

"Igitur qui ex fide". Quasi dicat: Ex hac igitur auctoritate manifestum est, quod videlicet illi, "qui ex fide sunt,
benedicentur", id est benedictionem accipient "cum fideli
Abraham", id est vitam eternam, que ei promissa est. "Quicumque enim". Vere ex fide et non ex operibus, quia "quicumque ex operibus sunt", id est qui in operibus legis con-
fidunt, "sub maledicto sunt", id est pena astringuntur, et
ubi pena est, caritas non est, quia caritas penam foras emittit. Et vere sub maledicto, quia sic "scriptum est: Maledictus omnis" etc., id est pene subiectus.

"Quoniam autem". Per aliud testimonium probat, quia non
ex operibus legis, sed ex fide salvatur homo, quasi dicat:
Non solum ex predicta auctoritate manifestum est, sed

---

[a] inquam] *inter lineas*
[b] eos, qui viventes—querunt] *in margine*

etiam ex ista. Et hoc est "quoniam autem nemo iustificatur in lege", id est in operibus legis et hoc "apud Deum", id est divino iudicio, quia apud homines iustificatur, qui pro magno reputant, si quis ista exteriora custodit.

"Manifestum est" etiam ex isto, "quia iustus ex fide vivit". In Abacuch. "Lex autem". Et bene, si ex fide, non ex operibus legis, quia "lex non est ex fide", id est promissio legis[a] non est de eis, de quibus fides est, id est de non apparentibus, de bonis videlicet eternis, que possidebunt pauperes spiritu,[561] de quibus dicitur: Beati pauperes spiritu, quoniam ipsorum est regnum celorum. Imo est de bonis temporalibus. Et hoc est: sed qui "fecit" ea, "vivet", id est qui obedierit preceptis illis, non solum non punietur in illis, sed etiam[b] vivet, id est bona temporalia habebit.

"Christus nos". Sub maledicto sunt, quicumque ex operibus legis sunt. Sed "Christus redemit nos", id est liberavit[c] "de maledicto legis", id est de pena illa legis, qua cohercebamur tamquam servi. "Factus pro nobis maledictum", id est sustinens[d] abhominabiliorem penam, que in lege erat et ignominiosiorem. Unde dictum est: Et morte turpissima condempnemus eum.[562] Apostolus: obediens Patri usque ad mortem.[563] Et ad quod genus mortis, adiecit: Mortem autem crucis,[564] id est illud patibulum probrosum, quo in lege probrosius[e] non erat. Hec enim pena non debebatur in lege nisi blasphemis, qui videlicet aliquid astruerent, quod ad derogationem divinitatis spectaret. Quod enim latrones hinc et hinc crucifixerunt, ex lege non habuerunt, sed ad ignominiam Christi fecereunt, ut et ipse cum impiis deputa-

---

[a] legis] *inter lineas*
[b] etiam] *inter lineas*
[c] id est liberavit] *inter lineas*
[d] sustinens] *inter lineas; add. et del.* punit
[e] probrosius] *add. et del.* in lege

---

[561] Matth. 5,3
[562] Sap. 2,20
[563] Philipp. 2,8
[564] Philipp. 2,8

retur. De isto autem patibulo habetur in Deuteronomio,
cum dicitur: Quando peccaverit homo, quod morte plecten-
dum est, et appensus fuerit in patibulo, non permanebit
cadaver eius in ligno, sed in eadem die sepelietur, quia maledictus omnis, qui pendet in ligno et nequaquam contamina-
bit terram tuam.[565] Contagium istud terre esset opprobrium
non solum parentele, sed etiam patrie, si diu in patibulo permaneret.   Id autem non tantum ad litteram intelligitur.
Sed scire debetis, quod propter transgressionem Ade in
ligno vetito factum, cui postea dictum est a Domino: Maledicta terra in opere tuo.[566] Et mori in ligno dicimur et
maledictionem Domini incurrere, a quo sententiam dampn-
nationis suscipimus.   Christus autem, cum non meruerit,
in ligno tamen[a] nobiscum pependit, qui hoc maledictum
sustinuit, id est mortem istam temporalem, quia et ipse peccata nostra in corpore suo portavit, cum ipse tamen omnino
peccato caruerit.   Nisi ergo cum Christo sepeliamur per
baptismum, de quo apostolus: Consepulti enim sumus
Christo per baptismum in morte illius,[567] contaminatur terra
nostra, id est caro nostra, que traducta est ab Adam, non
est munda.   Hoc est: nos mundi non sumus, nisi consepili-
tionem baptismatis in carne nostra susceperimus, quam et
in eadem die oportet suscipere, id est in hac vita presenti,
quia in futura consepeliri non possumus, ubi non licet operari, sed singulos recipere, que hic quisque meruit.

"Quia scriptum".   Et vere maledictum, quia sic "scriptum
est: omnis maledictus", id est sustinens mortem istam temporalem, que vilior erat, qui "pendet in ligno", factus, dico,
maledictum, ut "benedictio", que videlicet facta est Abrahe,
"fieret", id est impleretur, "in gentibus", id est in talibus,
qui more gentilium, qui legem non habebant, in exterioribus
non sunt occupati, sed qui puro corde Deo serviunt.   Fieret,

---

[a] tamen] *inter lineas*

---

[565] Deut. 21,22 sq.
[566] Gen. 3,17
[567] Rom. 6,4

dico, "in Christo Jhesu", id est per Christum Jhesum, qui
est semen illius, per quod implenda erat benedictio. Et hoc
ita, ut et nos "pollicitationem", id est promissionem, "Spiritus", id est de spiritalibus, que dabuntur pauperibus spiritu;
quia, ut diximus, beati pauperes spiritu, quoniam ipsorum
est regnum celorum.

"Accipiamus", et hoc non per opera legis, sed "per fidem".[a]
|| "Hoc autem". Quasi dicat: Et quare id inducis? Ideo vide- 136v
licet, quia ego "hoc dico", id est ad hanc similitudinem dico,
quod videlicet "testamentum", id est benedictionem[b] factam
Abrahe, confirmatam etiam a Deo iure iurando, "lex, que"
videlicet tanto tempore post lata fuit, "non irritum fecit ad
evacuandam promissionem", id est non irritam fecit promissionem Dei[c] et vacuam de illo testamento, id est de
eterna hereditate, cum videlicet ex lege non venerit, sed ex
promissione, quia, si "ex lege hereditas" etc. At vero ex
repromissione, quia "Deus donavit Abrahe" etc. Et quia
ex lege non est hereditas, "igitur quid lex", id est, ad quid
data est? Sine causa videlicet? Non, quia "posita" est, id
est statuta est a Deo, "propter transgressionem", id est
propter perversa opera illorum reprimenda, ut, quamvis
malitia mentis non extingueretur interius, prava tamen
opera exterius reprimerentur timore penarum.

[145*]Transgressionem vocat philosophus et in mente et in
opere. In mente, cum contempnit quis, quod Deus precipit.
In opere, cum ex contemptu illo usque ad opus prorumpit.
At vero illa, que in opere est, nec nocet nec prodest sicut
nec alia opera. Ea vero sola, que in mente est, punitur a
Deo. Sic et obedientiam tum in mente, sicuti de dilectione
Dei et proximi, tum in opere consistere astruit, et illam, que
in opere consistit, nullam remunerationem habere.

"Donec". Quasi dicat: Posita est, inquam, sed non, ut
semper duraret. Immo interim, "donec veniret semen", id

---

[a] fidem] *sequitur vacuum quinque linearum et dimidiae*
[b] benedictionem] *correctum ex* benedictio
[c] Dei] *inter lineas*

[145*] Cf. Abaelard., *Ethica seu Scito te ipsum* c. 3 (PL 178,636 sqq.).

est Christus. Lex, dico, "ordinata per angelos", veluti in monte, ubi data est. Et hoc in "manu mediatoris", id est in potestate Christi, qui mediator ipse et reconciliator ad Deum, ut videlicet in eius potestate esset, cum vellet, eam removere. Unde etiam in persona sua, ut supra meminimus, multas observantias legis cassavit. Quod autem quasdam fieri consuluit, ex misericordia fecit, veluti, cum leproso dixerit: Vade et offer munus tuum super altare.[a] [568] Quod propter leprosum fecit et non propter tenorem legis, ut videlicet susceptus ab hominibus facta oblatione secundum legem conversationem haberet cum illis.

"Non unius". Dixi: mediatoris. Sed "mediator non unius" est, immo ad minus duorum, inter quos mediator est, veluti hominis et Dei. Sed tamen "Deus unus est". Id autem apponit, ne videretur pluralitas esse inter Deum et Christum mediatorem Dei et hominis.

"Lex ergo". Quasi dicat: Et cum lex aliquam utilitatem habuerit, quia videlicet propter transgressionem posita est, "igitur lex adversus promissa", id est evacuat et cassat promissionem Dei? "Absit". Quasi dicat: Nequaquam, cum ipsa neminem iustificaverit, quia non est data ad iustificationem. Sed, si "data esset" etc. At vero talis data non fuit. Et hoc est "Sed conclusit" etc., id est constrinxit omnes timore pene. Sed ubi timor est, ibi caritas esse non potest, quia caritas timorem foras emittit.[568a] Et hoc ita, "ut" videlicet "promissio" non ex lege, ubi timor, sed "ex fide Christi Jhesu", ubi amor "daretur credentibus".

"Prius autem". Et vere conclusit, quia custodiendo nos tamquam pedagogus noster conclusit. Et hoc est, quia "prius quam veniret fides", id est Christus, in quem credituri eramus, "custodiebamur sub lege", et hoc "conclusi", id est pressi timore, ut sic nos introduceret ad suscipiendam sapientiam, que futura erat et in quam credendum erat;

---

[a] altare] *add. et del.* tuum

---

[568] Matth. 8,4; Marc. 1,44; Luc. 5,14.
[568a] I Joh. 4,18

quia initium sapientie timor Domini.[569] Et hoc est "in eam fidem" etc.[a]

"Itaque", quia videlicet custodiebamur sub lege, "itaque pedagogus noster fuit, ut" videlicet "ex fide iustificemur", et hoc in "Christo Jhesu".

"Ab ubi". Quasi dicat: Ita eramus, priusquam veniret. Sed postquam "venit fides", id est Christus, de quo fides habebatur, "iam non sumus sub pedagogo", qui nos videlicet constringebat. Et vere non sumus, quia "omnes" etiam vos "filii Dei estis", id est per amorem Deo coherentes. Et hoc non ex operibus legis, sed "per fidem" etc. Et vere filii, quia "quicumque" tam iudei quam gentes "baptizati estis, induistis Christum", scilicet per imitationem. Induere enim Christum est eum imitari, sicuti leonem vel agnum induere est illis conformari vel per ferocitatem vel per mansuetudinem.

"Non est". Bene dixi: quicumque, quia "non est" etc., id est non est discretio in personis apud Deum, qui personarum acceptor non est. Et vere non est discretio, quia "omnes vos unum estis", id est indifferentes in personis vestris, "in Christo Jhesu", qui omnes accipit, cuius vos filii, id est imitatores, estis. Et "si vos Christi estis", "ergo estis semen Abrahe", quod pro magno reputatis. Vos dico "heredes secundum promissionem", que videlicet facta est Abrahe.

---

[a] quem credituri—etc.] *in margine*

---

[569] Psalm. 110,10; Eccli. 1,16

"Dico autem". Quasi dicat: Dixi, quod sub lege quasi sub pedagogo cohercebamur et retrahebamur a malis timore penarum, antequam Christus veniret, qui postmodum ab illa servitute nos liberavit. Et hoc dico ad hanc similitudinem, quoniam "quanto tempore", id est quamdiu "heres parvulus est", "nichil differt a servo", a pena videlicet,[a] qua et ipse cohercetur, quemadmodum servus, ne faciat, quod non convenit, "cum" tamen "sit dominus omnium, sed est sub tutoribus" a malo, "actoribus" in bono, qui videlicet eum erudiunt et sunt actores sue discipline. Et hoc "usque ad prefinitum tempus a patre", scilicet parvuli.

"Ita". Adoptat similitudinem, et hoc est "ita", id est ad hanc similitudinem et nos, "cum essemus" parvuli, id est tamquam pueri "sub elementis huius mundi", id est constricti sub preceptis legis, que erant precepta eruditionis, non perfectionis. Unde et ea elementa apellat tanquam initiatoria, sicut et gramatica initiatoria[b] dicitur sive elementaria, quia de elementis est, id est de primis partibus vocis composite agit. Et sicut prime partes vocum compositarum sunt, de quibus agit, ita et ipsa prima appellatur. Sic et lex elementaria fuit, que etsi hominem non perficeret, hominem tamen introducebat ad maiorem legem, que superveniebat, quam etiam elementa huius mundi appellat, quia ipsa non promittebat nisi mundana ista.

"Servientes", quia cohercebamur in illis tamquam servi. "At ubi". Ita primum serviebamus. Sed postquam "venit plenitudo temporis", id est tempus, in quo implenda erat perfectio omnium bonorum, quam Deus disposuerat de salute nostra. De quo supra. In quos fines seculorum devenerunt, id est consumatio omnium bonorum, que implenda erant de salute hominis, de qua etiam consumatione dictum

---

[a] videlicet] *in margine superiori*
[b] initiatoria] litteratoria

est a Domino, cum in cruce penderet: Consummatum est,[570] quia iam consummata sunt omnia, que de salute nostra provisa erant.

"Factum ex muliere", id est factum hominem, quem assumpsit de muliere, de qua nostram naturam susceptam univit sibi in personam unam. Et cum a Patre factus non[a] fuerit, factus est a matre. Natum solet hoc loco[b] esse in quibusdam libris. Sed Beda dicit, quod de corpore epistole non est, sed factum.[571]

"Factum sub lege", id est factum obedientem legi, quia et ipse circumcisus est et pasca celebravit secundum legem et in multis aliis legem servavit diversis de causis: tum, ut legem a Deo datam esse insinuaret; tum, si non susciperet precepta legis, ne dicerent, quod non propter aliud dimittebat, nisi quia gravia essent; tum, ut infamiam sui vitaret, quoniam, si statim interdiceret legalia nec legi obediret, dicerent eum blasphemum, qui legis Dei precepta non custodiret et ita non haberet accessum ad illos, ut eis predicaret. Et hoc totum fecit ad utilitatem illorum, qui sub lege erant. Unde supponit: "ut eos redimeret", id est liberaret, "qui sub lege", id est qui cohibebantur honere legis, "ut" tandem nos liberati a servitute ista "adoptionem filiorum reciperemus", id est essemus filii Dei adoptivi, id est Deo coherentes per amorem non meritis nostris, sed gratia sua, que nos adoptavit de servis in filios.

"Quoniam autem". Et quomodo istam adoptionem suscepimus, monstrat, per Spiritum videlicet Sanctum, quem ipse in cordibus nostris infudit, ut Deo amore cohereremus. Et hoc est "quoniam autem" etc. Istud quoniam causativum non est hoc loco, sed effectivum hoc pacto: Et "quoniam vos estis", id est, ut vos etiam, gentes, essetis filii Dei. Tale

---

[a] non] *add. et del.* factus
[b] loco] locum

---

[570] Joh. 19,30
[571] Non in Bedae *Comment. in epist. S. Pauli. In epist. ad Gal.* c. 4. (Coloniae, 1688), 532. Invenitur tamen hic textus: "filium suum factum ex muliere".

est illud: clamavi ad te, quoniam exaudisti me.[572] Clamor enim fuit causa exauditionis, non exauditio causa clamoris, sed potius effectus, quia ad hoc clamavit, ut exaudiret.

"Misit Deus Spiritum". Ecce et a Patre missus est Filius usque ad nos, et a Patre missus est Spiritus Sanctus, et utriusque persone missio multum fuit nobis necessaria. Filius enim, qui est sapientia Patris, missus est ad illuminandum nos et ad docendum viam veritatis, qui est lux vera, que illuminat omnem hominem venientem in hunc mundum. Spiritus autem Sanctus, qui post viam veritatis cognitam et assignatam ab ipsa veritate missus est postea, ut amorem nobis infunderet, ut videlicet Deo amore, non timore subiecti essemus. Et hoc est "misit Spiritum in corda vestra clamantem", id est facientem vos clamare, ex ea videlicet 137r dilectione, que in corde est, "Abba Pater". ‖ Non enim dicimus: Domine, quod ad servum spectat iuxta illud: Domine, Domine, aperi nobis;[573] quibus dictum est: Nescio vos,[574] vel Adonay more iudeorum,[a] quod est Domine, qui Deo subiecti sunt timore. Nos vero Pater dicimus, ut ex ipso nomine designemur filii Dei, id est Deo per amorem coherentes esse. Non enim accepimus spiritum iterum servitutis in timore, sed spiritum adoptionis, in quo clamamus: Abba, Pater.[575] Per hec duo nomina, quorum unum est sirum vel ebreum, id est abba, alterum grecum sive latinum, id est pater,[576] significantur duo populi, iudei videlicet et gentes, qui tamquam duo parietes in ecclesia coniuncta sunt.

"Itaque", quia videlicet Filii sui spiritum misit in corda vestra, itaque "iam", id est post hanc missionem, "non est servus", id est non debet aliquis esse inter vos servus, sed "filius", id est Deo per amorem coherens. Quod utique mag-

---

[a] iudeorum] *correctum ex* iudeo

---

[572] Psalm. 16,6
[573] Matth. 25,11
[574] Matth. 25,12
[575] Rom. 8,15
[576] Cf. Haymo Halberstat., *Expositio in epist. S. Pauli.—In epist. ad Gal.* c. 4 (PL 117,686 A).

num est, quia, "si filius, et heres per Deum", id est particeps eterne beatitudinis.

"Sed tunc quidem". Quasi dicat: Tales olim non eratis, quales modo, cum ad simulacra muta duceremini. De quo tamen aliquam excusationem poteratis habere, cum per ignorantiam faceretis. Sed modo nullam potestis pretendere et multo magis arguendi estis,[a] si post viam veritatis agnitam retro itis. Et hoc est: sed "tunc", cum videlicet gentes essetis "ignorantes Deum", id est Deo nullum cultum exhibentes propter ignorantiam, quia videlicet eum nondum cognoscebatis, "serviebatis his" etc., id est, ut Ambrosius[577] dicit: veri Dei non sunt.

"Nunc", id est post conversionem, cum videlicet "cognoveritis Deum, immo cogniti", quasi dicat: Imo quos Deus prius cognovit, quoniam ipse prior dilexit nos.[578] Illos dicitur Deus cognoscere, de quorum salute bene disponit. Unde dicitur: Novit Dominus, qui sunt eius.[578a] Eos vero dicitur non cognoscere, de quorum salute non disponit, iuxta illud: Nescio vos.[579]

"Quomodo convertimini iterum", id est tamquam iterum reducentes statum legis, qui iam remotus est, ad "elementa", id est ad precepta legis, que elementaria erant, id est precepta inchoationis, non perfectionis, et ideo "infirma", et sic "egena", auxilio videlicet alterius, quod impleret; quod illa videlicet facere non poterant.

"Quibus", scilicet elementis, "vultis servire", id est[b] obedire, "denuo", non quod illis prius servirent, sed quia legem iam reparabant, que destructa erat.

"Dies observatis". Quasi dicat: Bene dixi, quibus servire vultis, quia vos iam "observatis dies" etc., id est omnia ista ritu iudaico. Iudei enim et dies septimos et menses septi-

---

[a] et multo—estis] *inter lineas*
[b] servire, id est] *inter lineas*

---

[577] Non in Ambrosiastri *Comment. in epist. ad Gal.* c. 4 (PL 17,360).
[578] I Joh. 4,19   [578a] II Tim. 2,19
[579] Matth. 25,12

mos et tempora septima et annos septimos servabant. Et
ideo ego "timeo, ne forte sine causa", id est sine utilitate
vestra.

Et, ne labor vester sit inanis in vobis, "estote sicut ego", id
est me imitamini, qui, cum naturaliter iudeus sim, legem
tamen non servo. Et debetis, "quia et ego sicut vos", id est
habui me quandoque eo modo, quo habuistis vos, quoniam,
ut alibi dicit, omnia omnibus factus sum, ut omnes salvos
facerem.[579a] Apostolus enim cum gentibus[a] gentiliter vivebat,
cum iudeis vero iudaice, ut omnes lucrifaceret Deo, quia, ut
dicit Seneca,[580] si quos volumus nobis allicere, illis oportet
nos condescendere, ne dissimilitudine nostre conversationis
eos potius a nobis fugemus quam nobis alliciamus. Apostolus enim, si continue interdiceret, que interdicenda erant, ad
eos non haberet accessum. Veluti si aliquis statim diceret
occidere hominem, concumbere cum uxore alterius non esse
peccatum, sed contemptum mentis,[b] quemadmodum astruit
philosophus,[146*] non audiretur, nisi pedetentim rationes pre-
mitteret, quod videlicet aliquis potest cum uxore alterius
concumbere, ita quod non peccat, sicuti[c] si qua alterius uxor
supponeretur viro alterius, cum qua ipse concumberet esti-
mans tamen cum sua dormire.

Et nota, quod, quamvis apostolus cum his gentiliter, cum
illis vero modo iudaice viveret, nichil est tamen obiectio de
predicta Petri reprehensione, quia Petrus in illa simulatione
perseverare volebat.

"Fratres, obsecro". Dixi: Estote sicut ego, et in hoc vos,
"fratres, obsecro", id est converto me ad obsecrationem, non
ad imperium, quamvis tamen imperio uti possem.

"Nichil". Appello vos fratres, et bene, quia "nichil me
lesistis", id est michi ipsi nullam lesionem intulistis, quare

---

[a] gentibus] *inter lineas*
[b] sed contemptum mentis] *inter lineas et in margine*
[c] sicuti] *inter lineas*

[579a] I Cor. 9,22   [580] Cf. *Epist.* 40,4.

[146*] Cf. Abaelard., *Ethica seu Scito te ipsum* c. 3 (PL 178,636 sqq.).

vobis irascerer, sicut quidam dicunt, qui inter vos sunt,ᵃ qui mentiuntur me meliora predicare aliis quam vobis. Sed quod in vobis ledor, non propter me est, sed propter utilitatem vestram, de quorum salute solicitus sum.

"Scitis autem". Vere nichil me lesistis, imo honorifice me habuistis apud vos, cum tamen causam haberetis contempnendi me. Et hoc est "scitis autem", quia "per infirmitatem carnis", id est per multas tribulationes, quas patiebar in carne, apud vos "ewangelizavi", id est predicavi vobis, "iam pridem", id est diu, "et" tamen vos "temptationem", id est tribulationem meam, que erat temptatio vestra, quia satanas temptabat vos per me, ne ewangelio meo crederetis, faciens membra sua in me insurgere, ut sic vos a Christo avelleret, "non sprevistis", id est non contempsistis, "neque respuistis". Quasi dicat: Propter tribulationes measᵇ non habuistis me contemptibilem apud vos nec a vobis divisistis, sed "excepistis", id est suscepistis me, "sicut angelum Dei", id est tamquam missum a Deo, "sicut" etiam "Christum Jhesum", qui dicit: Qui unum ex minimis meis suscipit in nomine meo, me suscipit.⁵⁸¹

"Ubi est ergo". Quia videlicet tales tunc eratis, tam videlicet relligiosi, ergo ubi est "beatitudo vestra", id est religio vestra, quam tunc habebatis, quia ego "testimonium", id est testor vobis, quia videlicet ex affectu caritatis, quam habebatis, etiam "si fieri posset", id est si opus esset, "oculos vestros eruissetis" etc. Et quia talem animum erga me habuistis, igitur tam cito factus "sum vobis inimicus dicens verum", id est predicans vobis veritatem.

"Emulantur". Quasi dicat: Qui vos ita conturbant, "emulantur vos", id est magnum fervorem in vobis habent, sed non bonum. Imo "vos volunt excludere" a doctrina nostra, "ut" videlicet "emulemini illos", id est imitemini prava illorum dogmata. Sed vos "emulamini", id est imitamini,

---

ᵃ sunt] *inter lineas*
ᵇ meas] *correctum ex* nostras

---

⁵⁸¹ Matth. 18,5

"bonum" scilicet hominem, et hoc "in bono semper", quia pauci sunt boni, imo nulli, in quibus aliquod vitium non sit.

"Et non tantum" etc., id est non solum in presentia mei, sed etiam quando absens sum.

"Filioli". Aliam questionem vult eis facere de lege, quare videlicet legem suscipiunt, cum lex etiam dictet illis, quod nulla debetur ei obedientia post ewangelium, quia postquam libera venit, eicienda est ancilla cum filio. Et hoc est "filioli".

Usque ad illum locum *"dicite michi"* suspenditur littera. Filiolos vocat eos, non filios, ut parvulos eos notet et diminutos in fide.

"Quos iterum parturio", id est iterum cum labore maximo conor Deo parere, "donec Christus formetur in", id est ut forma Christi in vobis sit, hoc est, ut vos Christo conformemini.

"Vellem autem". Acsi diceret: Ego vos filiolos appello, sed, si apud vos essem, aliter etiam loquerer, quia vox mea in virga esset et baculo. Et quare? "Quoniam confundor in vobis", id est incurro erubescentiam propter vos. Improperatur enim michi, quod, cum videlicet debui christianos facere, feci iudeos. Et quia ad iudaismum inclinati estis, igitur "dicite michi", id est respondete michi. Vos dico, "qui sub", id est, qui legi vultis obedire, "legem non legistis?", id est none ex lectione ipsius legis attenditis, quod nulla debetur ei post ewangelium obedientia, quia in lege "scriptum est, quoniam" videlicet "Abraham duos filios habuit". Plures tamen filios habuit Abraham, sicuti de Cetura,[582] sed hos duos comemoratur habere, Ysaac videlicet et Ismaelem, in quibus sacramentum continebatur, quorum alter electus est, alter reprobatus. Sed nota, quod et in patribus et in patriarchis, in ducibus, in sacerdotibus, in regibus, prioribus semper reprobatis posteriora elegit Deus. De filiis enim Ade maiore reprobato minor electus est. Sic et de filiis Abrahe, de quibus hoc loco agitur, prior reprobatur, poste-

---

[582] Gen. 25,1 sq.

rior vero eligitur. Eodem modo postea de filiis Ysaac: quia
Jacob dilexi, Esau autem odio habui.[583] Ita etiam in regibus
primo abiecto posterior electus est. Idem in ducibus sive in
sacerdotibus contigit, quia priores quodammodo refutati
sunt, posteriores vero electi. Moyses enim, quo duce de
Egipto egressi sunt, mortuus est in via, Josue vero succe-
dens duxit eos in terram promissionis. Ita et Aaron, per
quem vitulus conflatus est, quodammodo reprobato, Eliazar,
qui successit, electus est.

"Unum de ancilla", scilicet Agar, "et unum de", scilicet
Sara. "Secundum carnem", id est secundum naturam carnis. Nature enim, id est solito cursui rerum consentaneum
erat, quod videlicet de sene conciperet iuvencula. Et bene
secundum carnem natus est, qui carnalis futurus erat, sicut
et alter secundum spiritum, qui spiritaliter erat victurus.
"Secundum repromissionem", id est secundum gratiam Dei,
a qua sepe promissus erat. Et hoc contra naturam, que
negabat vetulam de vetula habere filium. "Que" videlicet
omnia "sunt dicta per allegoriam", id est per significatio-
nem. "Hec enim". Et vere per allegoriam, quia "hec", id
est hee, scilicet mulieres. Sed propter testamenta, quod
sequitur, accepit genus illius, veluti cum debuerit dici: hec
res dicatur civis, dictum est: hic dicitur civis, id est
hec res.

"Sunt IIo testamenta," id est duo testamenta significant.
De parabolicis locutionibus hoc loco queritur, utrum ille
videlicet, qui eis utitur, per eas mentiatur, presertim cum
similitudo, que in verbis continetur, numquam in re conti-
gerit.[a] Veluti: Exiit homo seminare semen suum.[584] Item,
utrum misticus sensus[b] per ea verba vel per id, quod in
verbis intelligitur, significetur. De huiusmodi vero: petra

---

[a] presertim—contigerit] *in margine*
[b] sensus] *inter lineas*

---

[583] Rom. 9,13
[584] Luc. 8,5

erat Christus[585] vel hec sunt duo testamenta,[586] quod hic habetur, facile expediri potest, cum ad eum sensum, qui ibi pronus esse videtur, non applicentur verba.

At vero in parabolis questio potest esse, cum eum, qui dicit, et illud, quod verba significant, quod sepe falsum est, oporteat dicere et aliud vel per verba ipsa vel per illud, quod in illis intelligitur, mistice intelligere.

[147*]Ad quod philosophus: Per verba, inquit, parabole, non
137v intelligitur sensus misticus, imo per rem significatam. ‖ Nec tamen Christus, qui huiusmodi verbis utitur, per ea mentitur, quamvis id falsum sit, quod verba illa significent, cum videlicet in eo, quod verba dicunt, non quiescat, sed[a] totam parabolam ad id, quod verum est, accomodet, in quo intentio dicentis consumatur.

"Unum quidem". Sunt, inquam, duo testamenta, "unum quidem in monte Sina", quod traditum est in monte Sina "generans in servitutem", id est faciens servos, quia timore penarum ad obedientiam constringebat. "Que est Agar", id est quod testamentum significatur per Agar ancillam, que bene alienatio interpretatur, quia ista servitus adeo homines exalienat. Alterum vero, de quo hic tacet, est ewangelium, quod per Saram liberam denotatur generans in libertatem.

"Sina enim". Et bene in monte Sina data est lex, "quia Sina mons est in Arabia, qui coniunctus", id est vicinus est ei, "que nunc est Jherusalem", id est illi Jerusalem, que in presenti est, que videlicet filios generat in servitute. Et ponitur hic habitatum pro inhabitanti.[b] "Et servit", mons videlicet ille, "cum filiis suis". Iudei enim inde emebant servos suos alienigenas, quia non licebat eis suos in perpetua habere servitute.

---

[a] in eo—sed] *inter lineas*
[b] id est illi Jherusalem—inhabitanti] *inter lineas et in margine*

---

[585] I Cor. 10,4
[586] Gal. 4,24

[147*] Cf. Abaelard., *Problemata Heloissae*, probl. 12 (PL 178,693C sq.).

"Illa autem". Jerusalem, que nunc est, in servitute est, sed illa, "que sursum" est, id est, que in celestibus, ęcclesia videlicet sanctorum, "libera est", in libertate est. "Que est mater nostra", id est cuius ęcclesie nos sumus filii, quia eos imitamur in fide.

"Scriptum enim est". Et bene dico: mater nostra, quia de illa scriptum est istud, quod tamen ad ęcclesiam gentium specialiter spectat: "Letare", gentium videlicet ęcclesia. "Sterilis", id est que adhuc sterilis appares. Et hoc est "que non paris, erumpe" mente "et clama", id est gaudium tuum voce manifesta, que nec etiam adhuc[a] "parturis", id est meditaris parere. Et unde letabor? Unde clamabo? Quia videlicet "magis multi filii", id est plures, "deserte", id est tui, que deserta, id est derelicta videris, "quam eius", id est sinagoge, "que habet virum", que videlicet apparet peculiaris populus Dei esse et Deo tamquam uxor viro coherere.

"Nos autem". Duos, ut diximus, filios habuit, unum secundum carnem, alterum per repromissionem. Sed nos, "fratres", id est tam nos ,iudei quam nos gentes, qui imitamur Abraham in fide, "sumus filii promissionis", id est qui promissi sumus Abrahe filii, id est imitatores, cui dictum est: quia eris pater multarum,[587] et hoc "secundum Ysaac", id est significati per[b] Ysaac, qui et ipse erat filius promissionis.

"Sed quomodo". Sacramentum etiam de persecutione fratrum illorum ostendit, quia quemadmodum tunc maior persequebatur minorem, ita et nunc in populis evenit, quoniam, etsi hodie non multum persecuntur iudei ęcclesiam nec etiam possunt, in tempore tamen apostoli supra modum, quando poterant, persecuti sunt.

"Sed quid dicit?" Ita, qui secundum carnem natus erat, persequebatur eum, qui secundum spiritum. Sed de illo et de matre illius "quid dicit scriptura?" Istud videlicet: Eice ancillam et filium.[588] Et bene, quia "non erit heres filius"

---

[a] adhuc] *inter lineas*
[b] per] *add.* per

---

[587] Gen. 17,4
[588] Gen. 21,10

etc. Ita et vos, fratres, legem, que servos generat, eicite et filios eius, qui vos corrumpunt. "Itaque", quia videlicet nos sumus filii secundum Ysaac, "igitur non filii ancille, sed filii libere", id est non generamur in servitutem, sed in libertatem.

"Qua libertate", id est ad quam libertatem habendam, "Christus nos liberavit", id est non solum a peccatis, sed etiam honere legis et iugo.

[Cap. 5.]

Et quia liberati estis, "state", id est estote stantes, id est erecti, non depressi servitute legis. State, inquam, "et nolite contineri", id est deprimi, "iugo servitutis", id est legis, que servos facit cogens nolentem etiam ad obedientiam. Et hoc "iterum", id est quasi statum legis reducentes. "Ecce ego". Et debetis stare et nolle iugum legis, quod est tam importabile et tam inutile, quia "ecce ego Paulus dico vobis"—tamquam pro sacramento inducit—, "quoniam" videlicet, "si" etiam "circumcidamini", id est circumcisionem susceperitis, de qua supra modum gloriantur iudei quasi de meliori sacramento, in hoc tamen "nichil proderit vobis Christus", id est nullam utilitatem vobis conferet. Et ideo non habetis causam, imo stultitia est, tam gravem plagam in tam tenero membro sine omni utilitate incurrere.

"Testificor". Quasi dicat: Et preter hoc, quod nulla est ibi utilitas, iterum testor omni "homini circumcidenti", id est qui circumcisionem propter legem suscipit, "quoniam" videlicet eadem ratione "debitor" etc., id est debet universa mandata legis custodire. Sed universa servari non possunt, nisi in terra illa promissionis, veluti purificationes, que fiebant ad reconciliandas mulieres viris suis post partum, que, nisi ad templum venirent et oblationes suas facerent iuxta legem vel de agno, vel de turturibus aut etiam columbis, non poterant reconciliari. Sed iam templum non habent nec terram promissionis,[a] quam iam dudum amiserunt iudei, quia Deus et locum et gentem illis abstulit, qui dixerunt: Ne forte veniant Romani et tollant nobis locum et gentem.[589] At postea in vindictam dominici sanguinis venit Titus Vespasianus Romanus imperator, qui eos dispersit per mundum universum.

---

[a] veluti purificationes—promissionis] *in margine*

---

[589] Joh. 11,48

"Evacuati". Quasi dicat: Ad ultimum dico vobis, quod videlicet "evacuati estis", id est Christus vacuus est vobis, id est sine fructu.

"Qui iustificamini in lege", id est qui in operibus legis iustificationem queritis, et ita a "gratia" illius "excidistis", id est non prodest vobis, qui in lege spem vestram ponitis.[a] Sed "nos", quicquid alii faciant,[b] "expectamus spem iustitie", id est premium sperandum iustis. Et hoc non ex operibus legis, sed "ex fide", instructi videlicet "spiritu", id est ratione, vel etiam revelante spiritu Dei. Et merito ex fide, quia "in Christo Jhesu" etc., id est non habet pretium, sed "fides' que" etc., id est dilectio, que provenit ex fide.

"Currebatis". Acsi diceret: Vos iam excidistis. At olim "currebatis bene", id est non solum in via eratis, sed etiam[c] cum magno desiderio tendebatis ad bravium ęterne glorie. Et quia tunc tales eratis, quis igitur fascinavit vos "non obedire veritati", id est Christo et vere eius doctrine. Quare nolite eis adquiescere, qui vos ita conturbant, quia "persuasio", ista videlicet, "non" est "ex eo", id est ex Deo, qui "vos vocat" ad se. Et ideo "nemini" talium "consenseritis", id est prebebitis assensum, quia "modicum fermentum" etc., id est illi, qui corrupti sunt, sepe totam massam fidelium corrumpunt, quoniam bonos mores corrumpunt colloquia mala. Sicut enim pasta per acredinem fermenti sibi amixti suam amittit dulcedinem, ita sepe fideles per eos, qui fermentati sunt, id est corrupti, desipiunt et naturalem saporem, quo Deo sapiunt, amittere coguntur. "Ego confido". Quasi dicat: Modicum, inquam, fermentum corrumpit totam massam. Sed ego "confido in vobis", et hoc "in Domino", quod videlicet per illos, qui volunt vos desipere, "nichil aliud sapietis", id est saporem illum, quo Deo sapitis, non mutabitis. Et ille, qui "vos conturbat", id est a Christo devocat, "portabit iudicium", id est dampnationem.

"Ego autem". Apostolus, ut supra meminimus, factus est

---

[a] in lege ponitis] *in margine*
[b] quicquid alii faciant] *inter lineas*
[c] non solum—etiam] *inter lineas et in margine*

omnia omnibus, iudeus iudeis, gentilibus gentilis, ut animas omnium Deo acquireret, quia, ut de Seneca[590] diximus, si quos volumus nobis allicere, non debemus nos illis dissimiles facere ,ne nostra dissimilitudine eos a nobis potius fugemus, quam nobis alliciamus. Ideo autem pseudoapostoli dicebant eum aliis circumcisionem predicare, quod ipse hic notat, acsi diceret: Dicunt me circumcisionem predicare. At "ego, fratres, si circumcisionem predico", ut aiunt, "quid adhuc" etc., id est quare me iudei persecuntur, quasi dicat: Si predicarem, non persequerentur me, qui videlicet retentis legalibus tamquam in fundamento libenter susciperent ewangelium.

"Ergo". Quia videlicet si predicarem, "ergo", id est propter hoc, "scandalum crucis evacuatum", id est non scandalizarentur[a] iudei in predicatione crucis, qui volunt, ut observantiis legis retentis ewangelica doctrina succedat.

"Utinam". Multi sunt, qui ita vos conturbant, sed "utinam abscindantur", id est removeantur a vobis, illi videlicet, "qui vos conturbant", id est, qui volunt vos in iugum legis inducere, quod non convenit. Quia "vos", fratres, "vocati estis in libertatem", non in servitutem, non in legem Moysi, qui incidebat ferro unde et graves manus habere[590a] dicitur. Imo in legem Christi, qui delibutus unguentis omnibus unguenta apposuit volens nos potius ex amore quam ex timore sibi servire et ita nobis nos dimittendo nostram libertatem experiri.

Vocati, inquam,[b] hoc "tantum" caventes, "ne detis libertatem in occasionem carnis", id est ne libertate vestra abutamini in servitio carnis. Veluti si quis sic dicat: Quia possumus facere, quod volumus, sequamur carnem. "Sed per caritatem". Illud non faciatis, "sed servite invicem", et hoc per "caritatem spiritus", id est que spiritalis sit, que

---

[a] scandalizarentur] li *inter lineas*
[b] vocati, inquam] *inter lineas*

---

[590] Cf. *Epistolae*, 40,4.
[590a] Exod. 17,12

videlicet sit sincera, id est que ad Deum tamquam finem applicetur.

"Omnis enim lex". Dixi: per caritatem; et bene, quia "omnis lex", id est preceptio omnis divina "impletur", id est consumatur "in uno sermone", hoc videlicet: "Diliges proximum" etc. In hac enim[a] dilectione proximi continetur etiam dilectio Dei. Sicut enim: si est homo, est animal, ita etiam: qui proximum diligit propter Deum, necesse est eum et Deum diligere; sed non econverso, cum videlicet, si proximus non esset, posset quis Deum diligere et non proximum. Bene dicit: [148*]sicut te et non tamquam te. Gradus enim habendi sunt in dilectione, ut videlicet meliorem plus diligamus, volentes, ut semper meliori melius sit minus bono. Plus enim debeo matrem Domini diligere quam Petrum, plus Petrum quam Martinum.

138r Ad hoc autem mandatum, ut in epistola ad Romanos meminimus,[590b] spectant illa duo precepta ‖ naturalis legis, que sunt: Quod tibi vis fieri, facias alteri;[590c] et: Quod tibi non vis fieri, alteri ne facias.[590d] Sed tamen, si quis vult sibi scortum adduci, non debet alteri adducere. [149*]Quod enim dicitur: Quod vobis vultis fieri, homines, aliis facite. hoc est: quod approbatis vobis fieri.

"Quod si". Servite, inquam, invicem per caritatem, quia, si invicem detrahitis vobis et derogatis, invicem consumemini alterutra detractione. Et hoc est "quod", id est quia, si "invicem mordetis", id est aliquantulum corroditis vos in primis, "et" deinde "comeditis", id est devoratis ex toto, hoc sequetur, quod videlicet[b] alter alterum invicem consumet, id est devorabit. Et ideo "videte", id est providete, ne invicem

---

[a] enim] *inter lineas*
[b] hoc—videlicet] *inter lineas*

[590b] Cf. Vol. I 191.
[590c] Matth. 7,12; Luc. 6,31
[590d] Cf. Tob. 4,16

[148*] Cf. Vol. I, 44.
[149*] Cf. *Sent. Herm.* c. 32 (PL 178,1748D). Cf. Vol. I, 185.

"consumemini", id est ne consumptio ista detractionis in vobis fiat.

Et ut ista cessent, "dico autem" vobis, "ambulate spiritu", id est ratione, ut videlicet saltemᵃ faciatis, quod ratio suggerit, sive sit faciendum sive non sit, quia, si conscientia vestra in eo, quod facitis, non vos reprehendit, non peccatis, et ita sequendo videlicet rationem in omnibus, quecumque facitis, "non perficietis desideria carnis", id est ad exitum non ducetis volumptates carnis, id est illa, ad que carnalitas vos instigat, que nos retrahit ab eis, que persuadet ratio. Est enim hec pugna semper in homine, imo non inter diversa, sed eadem anima de se et ad se hanc luctam habet cotidie. Quod enim ratio dictat faciendum esse, ab eo retrahit caro, id est ipsa anima ab illo retrahitur propter quandam passionem, quam in carne sustinet, ut sepe quasi nolens dimisso ducatu rationis trahatur ad id, quod caro suggerit. Veluti, cum alicui ratio suggerat ad ecclesiam ire, retrahit caro, ne vel omnino eat, quia alias poterit ire, vel si forteᵇ frigus fuerit, ne statim eat, sed satis sit ei ad missam venire vel saltem ad ewangelium. De qua lucta apostolus ait supra: Non enim quod volo, hoc ago, sed quod odi, illud facio.[591]

Si quis ergo superior est in pugna ista nec carni succumbit, acceptus est Deo. Pro maiori enim triumpho habendum est, si quis seipsum vicerit, quam si exteriorem hostem quis superet. De quo Salomon: Melior est, inquit, patiens viro forti, et, qui dominatur animo suo, expugnatore urbium.[592]

Ad hanc itaque victoriam invitat nos apostolus dicens: "Ambulate spiritu", id est ducatu rationis incedite et sic desideriis carnis non succumbetis. Et hoc est "et desideria" etc., que videlicet desideria spiritui sunt contraria, quia

---

ᵃ saltem] satem
ᵇ forte] *inter lineas*

---

[591] Rom. 7,15
[592] Prov. 16,32

"caro concupiscit" etc., et econtra "spiritus" concupscit "adversus carnem." Et vere concupiscunt contra se, quia "hec", id est spiritus et caro, ita "invicem adversantur sibi".

Werra cotidiana, "ut" videlicet "non, quecumque vultis", id est approbatis, "illa faciatis", quia, ut diximus, non, quod volo, hoc ago.[593]

"Quod si". Diceret aliquis: Estne magnum ambulare spiritu? Ita utique, "quod", id est quia, "si spiritu ducimini", id est, si ducatu rationis inceditis, "non estis sub lege", id est non dominatur vobis lex non inveniens, quid in vobis corrigat. Imo in lege potestis esse vel etiam supra, quia iusto lex non est posita. "Manifesta autem". Dixi carnem et spiritum contra se invicem concupiscere. Quod apparet ex operibus eorum, quoniam ex fructibus eorum cognoscetis eos.[593a] Et hoc est "manifesta sunt opera carnis", id est carnalium, qui videlicet post carnem trahuntur. "Que", scilicet opera sunt hec: "fornicatio".[a]

"Fructus". Ostensis operibus carnis ostendit opera spiritus. Et hoc est "fructus", id est opera, que fructus appellat, quia ex ipsis statim quemdam fructum carpimus, cum videlicet nostram conscientiam continuo hilarem reddant. "Spiritus", id est spiritalium virorum, qui videlicet spiritum sectantur, non carnem. Que opera sunt huiusmodi: "caritas".[b]

"Adversus huiusmodi". Acsi diceret: Contra opera carnis lex est. Sed "adversus", id est contra hec non "est lex". Imo his assentit lex omnis. Si qua enim lex contra esset, non esset lex.

"Qui autem Christi". Ostenso, qui sint fructus spiritus, ponit, quorum sunt fructus illi. Eorum videlicet, qui Christi sunt. Quia illi, "qui Christi sunt", iam diu "carnem" etc., id est in carne sua illicitos motus et vitiosas concupiscentias extinxerunt, ut non amplius caro contra spiritum in ipsis

---

[a] "fornicatio"] *sequitur vacuum quasi quatuor linearum*
[b] "caritas"] *sequitur vacuum quasi trium linearum*

---

[593] Rom. 7,15   [593a] Matth. 7,16

recalcitret. Et hoc "carnem suam crucifixerunt", id est
mactaverunt "cum vitiis et concupiscentiis", id est vitiosis
concupiscentiis. Est enim bona concupiscentia, de qua dicitur: concupiscit anima mea in atria Domini.[594]

"Si vivimus". Quia videlicet opera spiritus sunt eorum, qui
Christi sunt. Quare, "si vivimus spiritu", id est, si vivifi-
camur spiritu Dei, qui spiritus capitis est, cuius membra
sumus—sicut enim anima vita corporis est, ita et spiritus
Dei vita anime, quo accenditur in dilectione Dei. Si ergo
hunc spiritum vivificatorem habemus, "spiritu et ambulemus", id est incedamus in operibus spiritalibus ambulantes
de virtute in virtutem, et opera carnis, quantum possumus,
fugiamus. Et hoc est, quod subnectit: "Non efficiamur
cupidi inanis glorie", id est cupidi gloriari, de quibus gloriandum non est, ut videlicet alii nos laudent, unde ista
mala procedunt, quod videlicet unus alterum provocat non
solum ad lites, verum etiam ad pugnas sive ad invidiam.[a]
Et hoc est "invicem provocantes". Veluti illi episcopi faciunt, qui sepe contendunt, uter eorum iuxta apostolicum in
concilio sedeat, quod[b] pro magno habent, non memores,
immo nolentes attendere illud apostoli, qui ait: honore invicem prevenientes,[595] qui non solum non preveniunt, immo
etiam sibi auferre nituntur et se invicem provocant. Et si
iste provocationes non sunt, sunt invicem invidie. Et hoc
est "invicem invidentes".

---

[a] invidiam] pugnas
[b] quod] *inter lineas*

---

[594] Psalm. 83,3
[595] Rom. 12,10

"Fratres". Aliud dicit apostolus, quod specialiter ad pre-
latos eorum spectat, quod videlicet, si quis per ignorantiam
fecerit, quod faciendum non est, non exasperent illum, sed
in spiritu mansuetudinis eum castigent. Si quis vero ex
superbia idem fecerit vel ex contumatia, corrigatur, sicut
oportet. Et hoc est "fratres, et si" aliquis "preoccupatus",
id est per ignorantiam ceciderit in aliquo vitio, "vos, qui
spirituales", id est qui maiores estis et magis intelligitis,
"instruite huiusmodi in spiritu lenitatis", id est non exaspe-
retis eum, sed misericorditer corrigite. Et debetis, quoniam hoc etiam nostra fragilitas consulit, si eam attenda-
mus, qui facile in idipsum labi possumus. Et hoc est, quod
subponit: "considerans", o homo, "te ipsum", id est fragilitatem tuam, "ne" videlicet "et tu tempteris", quia in simi-
lem temptationem poteris venire.

"Alter alterius". Rursus ad communem instructionem
redit, quasi dicat: Et ut omnia fiant apud vos eo modo, quo
convenit, "portate" vos invicem, "alter" videlicet "onera"
alterius, ut videlicet illi, qui habundant, comunicent illis,
qui non habent, ut et illi, qui divites sunt, fiant pauperes
cum illis, et illi econverso cum illis divites. Rursus, si in
aliquo exteriori timendum est fratri, veluti, si periculum
aliquod imminuerit, stet pro eo frater vel cum illo, ut ex una
parte laborem illius portet et fratrem sustentet et iuvet in
onere, veluti, si aliquis in portatione alicuius oneris causa
alleviationis auxilietur alteri ex alia parte portans lignum
vel lapidem, ne gravetur frater. De ista autem[a] suppor-
tatione, ut beatus dicit Gregorius super Job,[596] ubi de patientia loquitur, provident sibi naturaliter bruta et animalia.
Cervi enim in transnando se invicem portant. Quidam enim

---

[a] autem] *inter lineas*

---

[596] Gregorius, *Moralium lib.* 30 c. 10 (PL 76,543D sq.).

precedit et alius, qui subsequitur, ponit caput super dorsum illius, deinde alius super dorsum ponentis et deinceps. Et ita seinvicem supportant. Sed tandem primus, qui non portatur, fatigatus ad extremum, qui non portat, revertens ponit caput suum super dorsum illius et ita a se invicem portantur. Rationales ergo creature saltem ad similitudinem brutorum idem faciant, et, qui habent, non habentibus impertiant et non solum pressuris, sed etiam inediis aliorum comunicent. Et hoc est, quod dicit: "alter alterius onera portate", et "ita", id est vos invicem portando "adimplebitis legem Christi", que videlicet impletur in predicto sermone: diliges proximum tuum sicut te.[596a]

|| "Nam si quis". Dixit: Non efficiamur inanis glorie 138v cupidi,[597] ne quis videlicet suam gloriam querat existimans vel alii credens de se hoc, quod non est. Et bene, quia, "si quis", id est aliquis, "se[a] existimat", iudicio videlicet alterius, "aliquid esse", id est aliquid valere, "cum" ipse tamen in rei veritate "nichil sit", id est nullum pretium habeat erga Deum, "ille se seducit", id est decipit, quod ideo non faciat; imo "probet" etc., id est unusquisque propria ratione apud se discutiat, an id, quod facit, rationabiliter faciat. Et ita "habebit tantum in semetipso", id est in iudicio sui, "gloriam", id est commendationem, conscientia sua dictante, que eum non arguit, quia, si cor nostrum nos non reprehendit, fiduciam habemus apud Deum. Et gloria nostra hec est testimonium conscientie nostre.[b] "Et non in altero", id est iudicio alterius, qui non iudicat de conscientia alicuius, ubi non videt.

"Unusquisque enim". Dico: Probet unusquisque opus suum, et debet, quia "unusquisque onus suum portabit", id est accipiet, secundum quod fecerit, in die illa. "Communicet autem". Dixit, ut, si quis in aliquo per ignorantiam ceciderit, non eum exasperent, sed leniter instruant. Nunc

---

[a] se] *inter lineas*
[b] quia si cor—nostre] *inter lineas et in margine*

[596a] Matth. 22,39
[597] Gal. 5,26

illis inde consulit, ut huiusmodi videlicet, qui adhuc egent
eruditione et instructione, sint circa illos, qui eos instruere
possint. Et hoc est "communicet autem is", id est huiusmodi, "qui" videlicet "cathechizatur", id est qui adhuc eget
cathezizatione, id est instructione verbi, communicet, dico,
"ei, qui se" etc., id est, qui non solum alios instruit, sed etiam
se ipsum edificat more boni predicatoris, qui opere complet,
quod ore docet. Et hoc "in omnibus bonis", scilicet spiritalibus, fide videlicet, spe, caritate.

"Nolite errare". Quasi dicat: Et in omnibus, que facitis,
"nolite errare", id est supra modum de misericordia Dei
confidere, vel ea, que facitis, ad alium retorquere finem,
quam debetis, quoniam "Deus", qui videt intentiones, "non
irridetur", id est in retribuendo non decipitur. Et vere
non irridetur, quia ea, "que seminaverit homo" etc., id est
secundum quod unusquisque fecerit, accipiet. Et vere hec
et metet, quoniam "qui seminat in carne sua, de carne", id
est secundum intentionem carnalem, "metet corruptionem",
id est dampnationem, et "qui seminat in spiritu, de spiritu",
id est secundum intentionem spiritalem, que videlicet ad
Deum applicatur.

Et ideo, fratres, "facientes" bonum "non deficiamus," sed
perseveremus, ut fructum, qui non deficit, metamus. Dicit
hoc loco beatus Jeronimus[598] de Tito illo Romano imperatore
optimo, qui gentilis erat,[a] quod, cum cotidie assuetus esset
benefacere, una tamen die oblitus sui[b] nichil boni fecit.
Cum autem ventum esset ad vesperum memor sui cepit
multum dolere dicens: Quid boni miser hodie feci? Diem
hunc ex toto[c] amisi. Suetonius[599] tamen istoriographus dicit,
quod illa die nichil dederat. Ille enim omnia sua dabat et
multo plura promittebat. Unde, cum quidam quereret,

---

[a] qui gentilis erat] *inter lineas*
[b] oblitus sui] *in margine*
[c] ex toto] *in margine*

---

[598] *Commentariorum in epist. ad Gal. lib.* 3 c. 6 (PL 26,462).
[599] *C. Suetonii Tranquilli opera. Titus* c. 8. (Lipsiae, 1829), 276.

quare plus promitteret quam posset dare, ait: Quicquid postea faciam, hoc volo homini inprimis dare, ut a me hilaris recedat. Non enim decet aliquem a facie imperatoris tristem recedere. Cum ergo ita doluerit ille, qui uno die defecit, quid possunt dicere, dicit beatus Jeronimus,[600] christiani, qui singulis diebus deficiunt, qui, ad ultimum,[a] si noluerint imitari virtutes christianorum, imitentur, inquit,[b] saltem virtutes ethnicorum, qui tales et tales extiterunt.

De odem Tito dicit Suetonius,[601] quod, cum moriretur, fecit se deferri per urbem propter serenum aerem et suspiciens celum conquestus est sibi non merenti vitam eripi. In ipsa etenim morte confessus est se numquam fecisse, de quo tunc peniteret, nisi unum, quod quale fuerit, nec tunc dixerit nec postmodum congnitum est.

De patre autem illius, Vespasio videlicet, mira dicit idem Suetonius,[602] qui etiam miracula operatus est. Cecum enim quemdam et claudum curavit. Illi enim in somnio viderunt, imo fortasse a Deo illis inspiratum est, ut, si imperator ille tangeret crura claudi et in oculum ceci spueret, uterque, hic gressum, ille visum susciperet. Venientes ergo ad imperatorem rogabant, ut eos sanaret. Quod ille audiens vestimenta sua scidit dicens: Numquid ego talis sum, qui hoc possim facere. Et iratus expulit eos. Illi autem instabant rogantes, ut faceret. Tamdem prece militum, qui aderant, et victus improbitate illorum iuxta illud ewangelii: Et propter improbitatem surgens dedit quotquot erant necessarii,[603] tetigit crus claudi et in oculum ceci expuit, et statim sanati sunt ambo.

"Tempore enim suo." Et merito non deficiamus, quia "tem-

---

[a] ad ultimum] *inter lineas*
[b] inquit] *inter lineas*

---

[600] *Commentariorum in epist. ad Gal. lib.* 3 c. 6 (PL 26,462).
[601] *C. Suetonii Tranquilli opera. Titus* c. 10. (Lipsiae, 1829), 278.
[602] *C. Suetonii Tranquilli opera. Vespasianus* c. 5. (Lipsiae, 1829), 261 sq.
[603] Luc. 11,8

pore suo", id est ad hoc a Deo disposito, "metemus non deficientes", id est indeficiens premium accipiemus.

"Ergo". Et cum tantum premium non deficientibus proponatur, quod suo tempore dabitur, ergo interim, "dum" videlicet "habemus tempus" operandi, quoniam ibi erit tempus recipiendi, "operemur bonum ad omnes" tam fideles quam infideles; sed tamen "maxime ad domesticos fidei", id est ad illos, qui familiares nobis[a] sunt in fide.

"Videte". Finiturus epistolam rogat, ut ea, que dicta sunt, firmiter teneant. Et hoc est "videte, id est attendite, "qualibus litteris, id est quam rationabilibus documentis, "scripsi vobis". Et hoc "manu mea". Haimo[604] tamen dicit, quod abhinc usque ad finem ipsemet scripsit, cuius littera notabilis erat, que signum videlicet esset, ut sua esset epistola. Quemadmodum et in aliis epistolis quandam notam ebraice faciebat propter causam eandem.

"Quicumque enim". Videte, inquam, et maxime de circumcisione, quia "quicumque volunt placere in carne", videlicet vestra, id est qui volunt gloriari de vobis et pseudoapostolis placere sive aliis iudeis de circumcisione vestra—non enim tantum pseudoapostoli volebant eos circumcidi, sed etiam quidam, qui de illis erant, ut aliis placerent—"hii", inquam, omnes et non alii "cogunt vos circumcidi". Et quare? "Tantum" etiam propter hoc, "ut" videlicet "non patiantur persecutionem crucis Christi", id est, ut non sustineant persecutiones illas, quas inferebant iudei predicantibus crucem Christi.

"Neque enim". Quasi dicat: Tantum utique, ut non patiantur et non propter utilitatem vestram, quia "neque" illi, "qui circumciduntur", id est, qui circumcisionem suscipiunt, propter hoc "legem custodiunt". Sed ideo "volunt vos circumcidi, ut" videlicet "in carne" vestra "glorientur" dicentes: Ecce iudei, quos fecimus.

---

[a] nobis] *inter lineas*

---

[604] Haymo Halberstat. *Expositio in epist. S. Pauli.—In epist. ad Gal.* c. 6 (PL 117,698B).

"Michi autem". Illi glorientur in carne, sed michi "absit gloriari nisi in cruce" etc. Ubi invenio, quanti pretii sum, pro quo tantum pretium datum est.

"Per quem", videlicet Christum Jhesum, "mundus crucifixus", id est mortuus est, michi, et per quem ego mortuus sum mundo. Quasi dicat: Per quem et mundani homines, id est carnales, a me separati sunt et ego ab illis.

Et nota, quod, cum dicat: Nisi in cruce Domini nostri, illud *nisi* non excludat nisi carnalia veluti circumcisionem et preputium, acsi diceret: Si voluero gloriari, gloriabor in cruce Domini nostri, id est in passione, que pretiosum me facit, et non in circumcisione vel aliis carnalibus, que nichil pretium habent apud Deum, quia "in Christo Jhesu" neque "circumcisio aliquid valet", id est aliquid pretii habet, "neque preputium", imo "nova creatura", id est veterem hominem removere et novum induere, id est vitam novi hominis imitari.

"Et quicumque". Quasi dicat: Dixi: Absit michi gloriari nisi in cruce Domini nostri. "Et quicumque", sive iudeus sive gentilis, "hanc regulam" meam "secuti fuerint, pax" hic etiam ab inimicis erit, subaudis, "super illos et misericordia" in futuro. Et super quos erit, exponit dicens: "et", pro *id est*, "super Israel". Sed quia est Israel carnalis, supponit "Dei", id est super Israel spiritualem, qui videlicet in carnalibus non confidit, sed spiritalibus: fide, spe, caritate.

"De cetero", id est super hoc dico vobis, ut videlicet "nemo michi molestus sit", eo quod tam pauca vobis scripserim et de omnibus, que vobis necessaria essent, non dixerim. Qui etiam ista vix potui scribere prepeditus tribulationibus, que michi continue[a] imminent. Et hoc est,[b] quia ego "porto", id est sustineo, "stigmata Christi", id est tribulationes et pressuras cotidianas pro Christo, "in corpore meo".

Etsi non possim vobis proficere scribendo, proficiam orando. Et hoc est[c] "gratia Domini nostri Jhesu" sit "cum spiritu vestro" id est ratione vestra.

---

[a] continue] cotinue   [b] et hoc est] *inter lineas*
[c] est] *inter lineas*

"Paulus"[a] etc. Post Galathas Ephesiis scribit. Ephesii autem Asiani sunt de illa optima sede, de qua erat beatus Johannes ewangelista. Quos apostolus non converterat, sed eos sepe confirmaverat. Ad quorum etiam confirmationem hanc scribit eis epistolam a carcere Rome non sperans eos ulterius videre. Et cum non habeat, quid in eis arguat, laudat eos multum, qui adeo in fide Christi perstiterant, ut illi laude sua audita et commendatione a tanta persona ad meliora proficiant. Quia enim apostolus sciebat hominem numquam in eodem statu permanere, qui semper aut crescit aut descrescit, timens de eorum decremento, ut ad crementum virtutum semper ascendant, adortatur. Rursus, ne de bono suo in elationem veniant, providet eis de superbia, ut de humilitate conservanda cogitent et Deo, quicquid habent, a quo totum habent, totum tribuant cum gratiarum actionibus et sibi nichil ascribant memores, a quo statu ad quem vocavit eos Deus, qui de idolatris filios fecit. Et ita in duobus consumatur epistola ista, in laude videlicet eorum, ut ad potiora semper proficiant et in cohortatione illa, ne videlicet de bono, quod in se recognoscunt, in superbiam veniant de humilitatis custodia semper solliciti. Superbia enim a bono 139r semper exordium trahit. Ex bono enim, quod aliquis in ‖ se recongnoscit, et numquam ex malo in elationem prorumpit. Sicut enim quedam bona a malo oriuntur, veluti penitentia, ita et quedam mala a bono, veluti superbia, de qua, ut diximus, vult eis providere apostolus et ad humilitatem adhortari.

---

^a Paulus] *aulus*

Suo autem more salutationem premittit dicens: "Paulus apostolus Christi Jhesu", factus videlicet non meritis suis, sed "per voluntatem Dei", mandat, subaudis, "omnibus sanctis" maioribus et minoribus, "qui sunt" etc. Sanctos vocat eminentes, fideles vero minores.

"Gratia vobis" etc. Sicut supra expositum est. "Benedictus". A conservatione humilitatis incipit Deo agendo gratias de omnibus bonis, que nobis ab ipso collata sunt. Et hoc est "benedictus", id est laudetur et glorificetur, "Deus", qui est "pater" etc., qui videlicet "benedixit", id est multiplicavit "in omni benedictione", non de temporalibus facta, qualis fuit benedictio, quam fecit Isaac filiis suis, de vino videlicet, oleo et frumento. Imo benedixit nos in "omni benedictione spirituali", id est in sufficientia spiritalium bonorum earumdem etiam, que sunt in "celestibus", id est in angelis. Angeli enim non habent annonam, non habent vinum; habent autem virtutes, quas et Deus nobis contulit. Et hoc "in Christo Jhesu", id est per Christum Jhesum.

"Sicut elegit", quasi dicat: Ita nos benedixit, sicut et ipse ante omnia tempora preordinaverat. Et hoc est "sicut elegit nos in ipso", scilicet Christo, ut videlicet per ipsum nos salvaret, in quo maneremus tamquam in capite nostra. Vel "in ipso", id est in mente sua, logo scilicet suo, hoc est verbo, de quo dicitur: In principio erat verbum et verbum erat apud Deum.[605] In quo omnia preordinata sunt, antequam fierent, iuxta illud: Semel locutus est Deus,[606] in sua videlicet providentia. Et his locutus est, quia, sicut ipse previdit in verbo suo, ita complevit, et in eodem verbo, de quo dicitur: Dixit Deus, et factum est ita.[607] Quemadmodum enim Deus nostram salutem in verbo suo providerat, ita et

---

[605] Joh. 1,1
[606] Psalm. 61,12.
[607] Gen. 1

in eodem verbo consumavit, quod nostram postmodum assumpsit naturam. Cuius verbi vox fuit beatus Johannes baptista, de quo dicitur: Vox clamantis in deserto.[608] Et in singulis operibus Dei commemoratur: Dixit Deus,[609] ut ostendat scriptura, quia Deus nichil subito, nichil impremeditate, sed cum ratione fecit omnia. Sicut enim sollers carpentarius primum in mente archam habet, que imputrescibilis est, ut beatus dicit Augustinus,[610] deinde ad formam illam ad effectum archam ducit, ita et Deus sollerter omnia preordinat, que postmodum opere complet. Et hoc "ante constitutionem mundi", id est antequam mundus fieret. "Ut" videlicet "essemus sancti et immaculati", pro eodem, "in conspectu", id est in eterna visione eius et fruitione. Vel "in conspectu", id est iudicio eius, quicquid de nobis dicant homines, qui possunt falli. Et hoc totum "in caritate", id est per caritatem.

"Qui predestinavit". Exponit electionem. Et hoc est "qui predestinavit", id est gratiam suam nobis preparavit, per quam faceret nos filios adoptivos. Cum enim Deus plures filios substantiales habere non potuerit, unum, quem habuit, consubstantialem misit, ut filius faceret filios saltem adoptivos, heres coheredes.

Predestinavit, dico, et hoc "per Jhesum Christum in ipsum", id est, ut in ipso semper simus tamquam membra in capite. Et hoc[a] non nostris meritis, sed secundum "propositum voluntatis", et hoc totum "in laudem glorie" etc., id est, ut ipse laudetur et glorificetur de illa precipue gratia, in qua "gratificavit", id est gratos nos fecit sibi, qui prius ingrati eramus. "In dilecto Filio", id est per dilectum Filium suum. "In quo", scilicet Filio, "habemus redemptionem", et hoc "per sanguinem", id est mortem eius, per quam, ut in

---

[a] in ipsum—Et hoc] *inter lineas*

---

[608] Marc. 1,3
[609] Gen. 1
[610] *In Iohannis evangelium* tract. 1 n. 17 (PL 35,1387).—Cf. *Summa Sent.* I c. 4 (PL 176,48C).

epistola ad Romanos diximus,[610a] caritas dilatata est in cordibus nostris.[611] "Remissionem". Redemptionem ad legem referte. Non enim solum a peccatis liberavit nos Deus, sed etiam a iugo legis. Et hoc "secundum divitias gratie eius", id est secundum divitem gratiam illius, "que superhabundavit", id est que multo plus habundavit in nobis quam in prioribus. Abraham enim vel David, etsi iustus fuerit, non tamen statim ad beatitudinem transierunt, quia immolata nondum[a] erat hostia, et quasi longe stantes spe tantum salutabant patriam. Nobis vero omni repagulo remoto continuo patet aditus.

"In omni sapientia". Superhabundavit, dico, "in omni" etiam "sapientia", id est intelligentia, quia et plus intelligimus quam illi, ut supra meminimus; et "prudentia", id est discretione, quia et nos discretionem habemus in nostra sapientia scientes, quid, cui et quando predicare debemus.

"Ut" videlicet ita "notum faceret" etc., id est nobis manifestaret occultam suam de nobis dispositionem. Et hoc non meritis nostris, sed "secundum beneplacitum", id est secundum gratiam suam, quam "proposuit in eo", scilicet Christo, ut videlicet per Christum gratiam illam susciperemus et semper in illo maneremus et ipse supra nos. Et hoc in "dispensatione", id est in illis, que dispensaturus erat in plenitudine temporum, id est in tempore, in quo consummata sunt omnia; de quo dictum est: consumatum est.[612] Et quod est illud beneplacitum, quod proposuit in eo, hoc est "instaurare", id est restituere, "omnia in Christo", id est per Christum. Omnia, dico, "que in celis et que in terra". In terra enim quedam erant perdita, sicuti Judas, loco cuius restitutus est Mathias. In celo vero, veluti angeli. Sed utraque dampna reparat Deus et restaurat per homines, quos non solum succedere voluit loco hominum perditorum,

---

[a] nondum] *inter lineas*

[610a] Cf. Vol. 1,69
[611] Rom. 5,5
[612] Joh. 19,30

sed etiam angelorum. Et hoc "in ipso", scilicet Christo, in quo continemur et sumus.

"In quo etiam". Vere elegit nos. Quod inde apparet, quod et nos et vos vocavit, quemadmodum predestinavit. Et hoc est[a] "in quo", scilicet Christo, nos videlicet "vocati sumus", in quo et vos; quod iam ponet. Nos, dico, vocati, qui maiores esse videmur, "etiam sorte", id est divina electione, non meritis nostris. Quam ideo sortem appellat, quia sicut ubi sortes iaciuntur, occultum est et inpremeditate evenit, quicquid evenit, ita absconditum est, quicquid Deus disponit. "Predestinati" etc., quasi diceret: Ita sumus sorte vocati, quemadmodum predestinati. Et hoc est "secundum propositum", id est secundum gratiam Dei, et non per merita nostra. "Qui" videlicet "operatur omnia" non secundum consilium nostrum, sed "secundum consilium voluntatis sue", quoniam quis consiliarius eius fuit?[613] Vocati, dico, sive predestinati ad hoc, "ut" videlicet "simus in laudem" etc., id est, ut eum laudemus et glorificemus.

Nos dico, qui "ante speravimus in Christo", id est prius credidimus quam vos. "In quo et vos". In quo nos sumus vocati. "In quo" similiter "et vos" vocati estis, "cum" videlicet "audissetis verbum veritatis", id est veram doctrinam Christi. Quod exponit dicens: "ewangelium salutis vestre", id est quod vestram operatur salutem. "In quo" et vos "credentes" iam "signati estis", id est distincti ab aliis, "Spiritu Sancto", id est amore Dei. Cum enim alie virtutes sint communes et electis et reprobis, sola caritas, ut beatus dicit Augustinus,[614] discernit inter filios Dei et inter filios diaboli.

Spiritu, dico, "promissionis", quem videlicet ex promissione, id est ex gratia,[b] habetis et non ex meritis. "Qui" videlicet est "pignus", id est arra "hereditatis nostre", id est, ut tan-

---

[a] est] *inter lineas*
[b] id est ex gratia] *in margine*

---

[613] Is. 40,13
[614] Augustinus, *In epist. Johannis* tract. 5 n. 7 (PL 35,2016).

dem nos heredes efficiat, quos hic per dilectionem iustificat. Et hoc "in redeptionem", id est per redeptionem "adquisitionis", id est per quam adquisiti sumus Deo, et totum hoc "in laudem glorie", id est, ut Deus per nos laudetur et glorificetur.

"Propterea", quia videlicet credentes signati estis[a] spiritu Dei, "ego audiens" et "fidem vestram", quia videlicet tam bene creditis in Christum, "et dilectionem", quam videlicet habetis erga "omnes sanctos".

Hec audiens, inquam, de vobis "non cesso" etc. "Pater glorie", id est gloriosus Pater, "det vobis spiritum sapientie", id est intelligentie, supra hoc, quod adhuc dederit, "et revelationis", id est revelet de se vobis supra hoc, quod revelavit illuminans corda vestra ad hoc, "ut" videlicet "sciatis", id est melius intelligatis supra id, quod adhuc intellexistis, "que" videlicet "sit spes vocationis", id est quantum sit premium sperandum eis, qui a Deo vocati sunt. Quod scire et intelligere multum accendit hominem in Deum, ut videlicet, cum intelligat, quam vilia sint ista, quanta vero sint ea, que Deus diligentibus se preparat, omnino postpositis temporalibus toto desiderio suspiret ad illa. Eandem sententiam replicat mutatis verbis, sed tamen expressius, dicens: "Et que divitie glorie", ‖ id est quam dives sit et 139v gloriosa hereditas, quam sanctis suis conferet Deus. Idem replicat aliis verbis, et hoc est "et que sit supereminens magnitudo virtutis eius in nos", qui videlicet nos angelis equabit, imo eminentiores angelis nos faciet et supra angelicam naturam collocabit. In nos, dico, qui iam "credidimus". Virtutis Dei, dico, future videlicet in nos; quemadmodum speramus "secundum operationem potentie" etc.

Hec autem commemoratio dominice resurrectionis multum confirmat sanctos in quibuscumque tribulationibus, quos in morte etiam supra modum consolatur et ferventes facit. Cum enim videant mortem imminere, spem resurrectionis habentes, que iam in[b] capite precessit, quascumque pres-

---

[a] estis] *inter lineas*
[b] in] *inter lineas*

suras pro nichilo ducunt, cum morientes etiam ad vitam transire non dubitent.

"Suscitans". Exponit virtutem, quam in Christo operatus est. Et hoc est "suscitans illum a mortuis et constituens ad dexteram suam". Non hoc dicit, quod Deus dexteram habeat, qui omnino partibus caret, sed quoniam apud homines meliores et digniores in dextera parte collocari solent, ideo hic per dexteram supereminentiam Christi intelligit, qui super omnem angelicam naturam constitutus est. Et hoc est "constituens ad dexteram suam", id est eum digniorem constituens "in celestibus", id est in celestibus creaturis. Et hoc super "omnem principatum" etc.

Ordines angelorum ponit, quibus omnibus supereminet Christus, non, dico, persona illa, que Christus est, imo etiam homo assumptus, cui unitum est verbum.

"Et omne nomen", id est omnem notitiam creaturarum. Nomen enim, ut solemus dicere, pro notitia sepe ponitur.

"Et omnia". Vere supra omnem principatum etc., quia Deus "subiecit omnia et", id est etiam, "sub pedibus eius". Non dicit: sub capite illius, sed sub pedibus, id est sub humanitate illius. Sicut enim persone pedes partes sunt inferiores in ipsa, ita in Christo inferior pars est humanitas, cui etiam subiecta sunt omnia tamquam capiti suo. Superior vero pars est divinitas, que caput est humanitatis in Christo.

"Et ipsum", scilicet Christum, "dedit", id est constituit, "supra omnem ecclesiam, que est corpus". Ut beatus dicit Augustinus,[615] sicut in capite sunt omnes sensus, de quo et vene in ceterum corpus descendunt et inde sustentatur, ita et in Christo sunt omnia dona Dei, spiritus videlicet sapientie et intellectus et cetera. Et quicquid ceteri fideles per partes habent, ipse utique totum habet, a quo et ipsi habent, quicquid habent. Et ideo capud ecclesie dicitur; ecclesia vero corpus illius est.

---

[615] Non invenitur ad verbum. Cf. tamen ep. 187 c. 13 n. 40 (PL 33, 847); *In Johannis evangelium* tract. 14 c. 3 n. 10 (PL 35,1508 sq.).

"Plenitudo". Ęcclesiam plenitudinem Dei appellat, quia extra ęcclesiam non est aliquid de corpore Christi, "qui", videlicet Christus, "omnia in omnibus", scilicet existens, quoniam per ipsum habemus omnes quecumque Dei dona. Ipse enim et virtus nostra dicitur, quia per illum virtutes habemus. Sicut enim virtus virtuosum[a] facit, ita et Christus, qui in potestate habet virtutes dare.

"Adimpletur" cotidie in corpore suo, quia cotidie corpus suum, id est ęcclesia, crescit.

---

[a] virtuosum] virtutosum

"Et vos, cum essetis". Dedit, inquam, illum caput supra
omnem ęcclesiam, de qua ęcclesia et vos, fratres, estis, quia
vos etiam, "cum essetis mortui" etc. Suspensiva est littera
usque ad "convivificavit^a nos" Christo.

Per delectum accipit originale peccatum, quod numquam
remissum erat gentibus per sacramentum aliquod, quoniam
et illi nullum sacramentum habebant, quo remitteretur illis,
quemadmodum iudeis, quibus per circumcisionem remittebatur. Per peccatum vero proprias accipit culpas, quasi
dicat: Cum essetis mortui "in delectis", id est in originali
peccato, quod videlicet a patribus trahebatis, et in "peccatis vestris", id est culpis, que vestre erant, non aliene. Vel
per delecta possunt accipi^b peccata, que fiunt, cum aliquis
derelinquit, quod facere debet. Unde et delictum dicitur
quasi derelictum a derelinquendo. Per peccata vero illa,
que fiunt a nobis, cum facimus, que facere non debemus.

"In quibus" videlicet "aliquando ambulastis", id est non
stetistis, non posuistis vobis finem peccandi, sed, quemadmodum de virtute itur in virtutem, ita et vos de peccato
in peccatum ibatis. Et hoc "secundum seculum huius
mundi", id est sequendo amatores huius mundi, qui seculari-
ter vivunt.

"Secundum principem". Ambulastis, dico, in peccatis secundum seculum huius mundi. Et a quo ducti? A diabolo.
Et hoc est "secundum principem" etc., id est diabolum, qui
maximam potestatem habet in spiritu, id est in aere ipso et
tamen non^c in quolibet aere, sed in hoc aere, id est inferiori.
In superiori enim, ut aiunt, non tantam potestatem habet.
Ut autem dicit beatus Augustinus,[616] cum diabolus cecidit,

---

^a convivificavit] convificavit
^b accipi] *inter lineas*
^c non] *inter lineas*

---

[616] *De Genesi ad litteram* lib. 3 c. 10 n. 14 sq. (PL 34,284 sq.).

datum est ei corpus aerium, ut in eo magis crucietur, quod
non licet ei deponere. De quo dicitur: Et cruciabuntur
corpora hominum solida, demonum vero aeria. Et ideo
demones in hoc elemento maiorem potestatem habent quam
in alio, a quo et corpora sumpserunt. Unde, cum voluerint,
de terra, que spissius est elementum, suis corporibus agre-
gando, sepe cum mulieribus conveniunt. Sepe etiam, cum
nigromantici aliquas eis fecerint immolationes, ab aere
grandines mittunt ad conculcandas messes alicuius. Sepe
etiam aerem commovent per phisicam rei, quam habent^a, et
naves in mari submergunt.

Queritur, cum diaboli cum mulieribus conveniant et filios
generent, an illi salventur.

Ita, inquit. Multi enim filii diaboli erunt in gloria Dei, qui,
quamvis corpora ex traduce habeant, animas tamen a Deo
habent et non a diabolo. De satiris etiam, qui sunt capri-
pedes, quod est^b multo mirabilius, dicit, quod salvari possunt, si sacramenta susceperint, si Deum dilexerint, cum
sint animalia rationalia mortalia et loqui possint, quemadmodum et nos. Hec enim, inquit,^{c} animalia credo a nobis
originem habuisse, quia fortasse garciones cum bestiis con-
venerunt et ita nata sunt huiusmodi^d animalia, que hanc
formam, quam habent, partim ex nobis, partim ex illis, a
quibus nata sunt, contraxerunt. Deinde inter se coierunt et
similia a similibus procreata sunt. Et quod satiri sint et
animalia sint rationalia mortalia, manifestum est. Cum
enim quidam satirus, ut beatus dicit Jeronimus,^{617} beato
Antonio in deserto,^{e} apparuerit, aiebat satirus: Domine,

---

^{a} phisicam—habent] *in margine*
^{b} est] *inter lineas*
^{c} inquit] *inter lineas*
^{d} huiusmodi] modi *inter lineas*
^{e} in deserto] *in margine*

---

^{617} *Vita S. Pauli primi eremitae* n. 8 (PL 23,24): Precamur, ut
pro nobis communem Dominum depreceris, quem in salutem mundi
olim venisse cognovimus... Vae tibi, Alexandria, quae pro Deo portenta veneraris. Vae tibi, civitas meretrix, in quam totius orbis
daemonia confluxere. Quid nunc dictura es?

ora pro nobis communem Deum, quem iam dudum scimus venisse. Et ille postmodum[a] conversus ad Alexandriam[b] dixit: O Alexandria, ecce portenta Deum predicant; tu autem adhuc manes incredula. Item, ne cui sit incredibile, dicit idem[618] Jeronimus: [Mortuus est satirus][c] et sale conditus ad imperatorem Constantinopolitanum delatus est, ut animal videret huiusmodi.

Item, cum diaboli corpora habeant, queritur, an ea illis unita sint in personam unam. Nequaquam, inquit, cum nec id astruat auctoritas nec multum rationi consentaneum esse videatur, sicut nec etiam, cum boni angeli corpora assumant, uniuntur in personam unam, que quasi quandam capam assumpta, cum voluerint, deponunt, quamvis tamen diabolis non liceat sua deponere corpora, nisi hoc tantum, quod aggregant suis aeriis corporibus, quando cum aliqua conveniunt.

"Qui", scilicet princeps, id est que potestas aeris, "nunc operatur in filios diffidentie", id est in illis, qui diffidunt et omnino desperant de alia vita. "In quibus" etc., id est de quorum numero aliquando fuimus nos omnes. Et hoc "in desideriis", id est in carnalibus desideriis, quibus assentiebamus.

"Facientes". Et non solum in pravis illis desideriis eramus, sed etiam illa sepe explebamus. Et hoc est "facientes", id est explentes, "voluntatem carnis", id est carnales voluntates, quas videlicet anima ex ipsa carne habet. Et, quia sunt quedam spiritales voluntates, que ex ipsa surgunt anima, supponit "et cogitationum", id est spiritalium voluntatum. "Et eramus" etc., id est ex ipsa etiam nativitate tales eramus, quibus Deus debuit irasci propter peccatum, quod ex

---

[a] postmodum] *inter lineas*

[b] Alexandriam] *add. et del.* conversus

[c] [Mortuus est satirus]]? *in margine usque ad illegibilitatem erasum*

---

[618] *Vita S. Pauli primi eremitae* n. 8 (PL 23,24): Nam Alexandriam istiusmodi homo vivus perductus magnum populo spectaculum praebuit; et postea cadaver exanime, ne calore aestatis dissiparetur, sale infuso Antiochiam, ut ab imperatore videretur, allatum est.

nostra contrahebamus origine. Patres enim nostri comederunt uvam acerbam et dentes filiorum obstupescunt. Vivo
autem ego, dicit Dominus, si ultra erit hoc proverbium in
Israel.[619] Fructus autem ille vetitus, de quo incidit questio,
uva, ut aiunt, fuit. Unde et arbor illa, que vitis erat, dicta
est lignum scientie boni et mali, quia per scientiam id est
per ipsam rei experientiam vinum modice bibit. . . ista super
lignum. . . hodie super. . . in paradiso alia arbor erat, alia
scientie boni et mali, quia arbor vite erat ei concessa ad
esum pro moderamine contra senium et quascumque infirmitates, ut videlicet quasi loco potionis vel lactuarii ei esset.[a]

"Deus autem" etc. Propter interpositionem repetit, quod
dictum est, connumerando se illis, quasi dicat: Et non
solum vos, sed et nos. "Cum" videlicet "mortui essemus"
omnes "peccatis, Deus convivificavit nos Christo", id est vi-
vificavit nos cum Christo eandem vitam nobis conferendo,
quam ipse habuit. Deus, dico, "qui dives est in misericordia". Nos autem dicimur in misericordia pauperes, quia
affectum illum bonum, quem habemus erga alterum, ad ‖ **140r**
effectum sepe ducere non possumus. Deus vero dives dicitur, quia potens est[b] omnem affectum misericordie in effectum trahere.

Convivificavit, dico, et hoc "propter caritatem" etc., id est
propter dilectionem, quam erga nos habuit, antequam nos
etiam essemus. "Christo", dico, "cuius gratia", id est dono
cuius gratuito, "salvati estis". Qui videlicet non meritis vestris mortuus est propter vos. "Et conresuscitavit", id est
de morte anime resuscitavit ad similitudinem mortis eius;
"et" ita Deus iam "consedere fecit,"[c] id est requiescere cum
Christo, "in celestibus", id est cum celestibus creaturis. Et
hoc "in Christo", id est per. In celestibus enim cum Christo
iam sunt multe anime fidelium.

"Ut ostenderet". Quasi dicat: Hec omnia fecit nobis Deus
ad hoc etiam, "ut" ad gloriam suam "ostenderet", id est

---

[a] bibit—esset] *in margine et quoad magnam partem extinctum*
[b] est] *inter lineas*   [c] fecit] *om.*

[619] Ezech. 18,2 sq.

manifestaret, "in seculis supervenientibus", id est futuris successionibus, hoc est hominibus futurarum successsionum "habundantes divitias gratie sue", id est divitem gratiam suam, que videlicet habundantior est in nobis, qui statim intramus patriam, quam in prioribus, qui quantumcumque iusti essent, nequaquam ingrediebantur. Et hoc est habundantes in "bonitate," que videlicet maior in vobis apparet. Et hoc "super nos", quia omne datum optimum et omne donum perfectum desursum est, desuper a patre luminum.[62c]

"Gratia enim". Bene dixi: cuius gratia salvati estis, quia vos utique "gratia salvati estis" et hoc per fidem, quam Deus etiam vobis contulit. Et "hoc", id est propter hoc, "non est ex vobis" initium, videlicet salutis vestre, "sed Dei donum", qui vobis omnia donavit, "non ex operibus" vestris, primum videlicet motum salvationis vestre, immo ex gratia Dei. "Ut ne quis", id est non aliquis vestrum, "glorietur", quasi per meritum obtinuerit, quod per gratiam habet. "Ipsius enim". Et vere donum Dei est, quia nos "sumus factura", id est creatura ipsius nova per recreationem illam, quam habemus in Christo. Et hoc est "creati", id est recreati, "in Christo Jhesu", id est per Christum. Et in quo sit illa recreatio, supponit, "in bonis" videlicet "operibus", id est in virtutibus, quas "Deus preparavit", nobis videlicet. Et hoc ita, ut "in illis", scilicet bonis operibus, "ambulemus" de bono semper in melius non ponentes nobis quandam metam, quasi satis sit nobis ad eam venire, quemadmodum multi faciunt.

"Propter quod", id est propter quam gratiam vobis a Deo datam, "memores" etc., id est illius carnalis conversationis, in qua primum eratis, memores estote, ut in vobis non[a] gloriemini, sed totum Deo ascribatis, qui de tali statu ad talem vos vocavit.

"Preputium". Summitas virilis membri preputium vocatur, quam iudei in circumcisione sua preputant, id est pre-

---

[a] non] *inter lineas*

---

[620] Jacob. 1,17

scidunt. Est enim putare amputare. Unde dicitur tempus putationis,[621] id est amputationis, ut videlicet nivee amputentur. Quia ergo per illam particulam carnis preputatam significabatur amputatio immunditie a mente, iudei gentes preputium appellabant, id est non solum immundos, sed etiam ipsam immunditiam. Et hoc est "qui dicimini", id est appellabamini, "preputium", id est immunditia, "ab ea, que dicitur", id est a iudeis, qui carnaliter circumciduntur, etsi non spiritaliter.

"Alienati a conversatione Israel", id est iudei pro tam immundis vos habebant, quod cum illis nullam conversationem habere poteratis.

"Et hospites testamentorum", id est preceptorum testamenti. Quamvis enim sub Ptolomeo lex translata sit ad vos per LXXta interpretes, habuistis quidem illam per accomodationem et non per traditionem sicut iudei, quibus a Deo tradita est et non vobis.[a] Non enim fecit taliter omni nationi et iudicia sua non manifestavit eis.

Vos, dico, "non habentes spem promissionis", id est divinarum pollicitationum, que in lege continebantur. "Nunc autem". Tunc tales eratis, sed "nunc" fundati, videlicet "in Christo Jhesu". "Longe", id est remoti, "prope", id est reconciliati, et hoc "in sanguine", id est per sanguinem, hoc est per mortem illius.

"Ipse enim". Vere prope, quia "ipse est pax nostra", qui videlicet et nos omnes Deo reconciliavit et nos nobis invicem.

"Qui fecit utraque unum", id est duos populos convenire fecit in unam ęcclesiam. Et hoc primum "solvens medium parietem macerie", id est removens legem, que quasi maceria interposita inimicitias inter eos pepererat, que nisi remota esset, numquam cum[b] iudeis gentes ad fidem veni-

---

[a] et non vobis] *inter lineas*
[b] cum] *inter lineas*

---

[621] Cant. 2,12

rent.   Ut enim in epistola ad Romanos meminimus,[622] cum
Deus voluerit quandam suam civitatem in hoc mundo facere,
non statim totum mundum elegit, sed quandam partem, cum
unusquisque sapiens a minimis inchohat, ut ad maiora per-
veniat, quasi expectans generalem omnium conversionem ad
fidem in adventu filii sui,[a] ut tanto esset gratior, quanto
utilior.   Et hec sua civitas exordium ab Abraham sumpsit,
cui dixit Dominus: Egredere de terra tua et de cognatione
[623] etc.   Et cum terram suis Deus dederit et proprium locum,
ubi essent, tunc primum cepit leges suas promulgare et quedam interdicere, quod prius non oportuit, quando cum
gentibus dispersi erant,[150*] ut videlicet non solum loco, sed
etiam conversatione ab infidelibus eos separaret, ut non aliqua de occasione in ritus eorum transirent.   Et quia apud
homines per matrimonia magna captatur familiaritas, pre-
cepit eis circumcisionem, ut et illi signati sigillo Domini
non polluerent illud cum infidelibus et ille cum ipsis tamquam detruncatis matrimonium non dignarentur contrahere.   Rursus, ne in mensa communicarent, quosdam cibos
eis interdixit, quia communio mense multum homines allicit.   Et ita inter hos et illos interposita est maceria, que
inimicitias pariebat.   Adveniente ergo filio removit Deus
parietem istum, ut gloriationem iudeorum auferret, qui de
lege data gloriantes aiebant, ut paulo ante[b]:   Non fecit
taliter omni nationi et iudicia sua non manifestavit eis.[624]
Sciens gentes durante illa maceria nullo modo ad fidem velle
accedere presertim propter superbiam eorum, ne eis impro-
perantes dicerent: Malas grates habeatis, qui iam ad nos
venistis. Et ideo istam solvit maceriam, ut utique quasi victi
sibi invicem ignoscerent.   Veluti de Mario et Cartagine

---

[a] in adventu filii sui] *inter lineas*
[b] ut paulo ante] *in margine;* lo ante *decisum*

---

[622] Cf. Vol. 1, 33
[623] Gen. 12,1
[624] Psalm. 147,20

[150*] Cf. Vol. 1, 33 sq.

factum est, quoniam solatia fati Cartago Mariusque tulit
pariterque iacentes ignovere diis.[625]   Et ut Deus omnino
gloriationem iudeorum extirparet, non solum legem removit,
sed et eorum destruxit civitatem, nec etiam templo eorum,[a]
in quo magis confidebant, pepercit, qui et eadem de causa
illorum civitati maiorem dignitatem sue ęcclesie relinquere
noluit.   Immo quemadmodum terrene potestates erant ante
adventum suum in gentibus,[b] ita postmodum ęcclesiasticas
potestates ordinavit, ut ubi maior maiorem constituit sicuti
Rome, ubi maiorem episcopum posuit, etiam ubi flamines,
ibi episcopos, ubi archiflamines, ibi archiepiscopos.   Et hoc
est, ut diximus, "solvens", id est auferens maceriam, scilicet
legem,[c] que erat quasi paries[d] medius pariens inter illos
inimicitias, et hoc "in carne sua", id est per carnem suam
assumptam et postmodum crucifixam.[e]   Quod exponit
dicens: "evacuans legem mandatorum", et hoc in "decre-
tis", id est in dispensationibus illis, que ad tempus erant,
que videlicet de exterioribus docebant.   Moralia enim precepta non evacuavit Deus, que sunt omni homini naturalia.
Evacuans, dico, et ad hoc, "ut" videlicet "duos" populos
"condat", id est in unum coniungat, "in semetipso", qui
videlicet eos coniungit tanquam lapis angularis.   Et hoc "in
novum hominem", id est, ut uterque sit novus homo in ipso.
"Faciens".   Ostendit de reconciliatione unius populi ad
alterum.   Modo monstrat de reconciliatione[f] utriusque ad
Deum.   Et hoc est "faciens", quasi dicat: Et ita, ut dictum est, non solum "faciens pacem" inter illos, sed etiam
"ut reconciliet ambos Deo in uno corpore", quod videlicet
est ęcclesia.   Et hoc "interficiens" etc., id est per mortem
suam.   "Et" ita ad hoc "veniens ewangelizavit pacem", id

---

[a] eorum] *inter lineas*
[b] in gentibus] *inter lineas*
[c] legem] *inter lineas*
[d] paries] ries *in margine*
[e] assumptam—crucifixam] *in margine*
[f] reconciliatione] re *inter lineas*

---

[625] Lucanus, *Pharsalia* 2,91

est predicavit reconciliationem. "Quoniam". Et bene dico: vobis gentibus et vobis iudeis, "quoniam ambo in uno Spiritu", id est in amore Dei, qui et vos nobis et nos Deo univit. "Ergo". Dixit: Hospites eratis testamentorum. Sed quia iam Deo reconciliati accessum habetis in uno Spiritu ad patrem, igitur "iam", id est deinceps, "non estis hospites et advene", pro eodem, sed estis de civitate Dei, sanctorum concives. Et hoc est "sed estis cives", id est concives; "et domestici Dei", pro eodem. Vel per hospites accipe omnino remotos et per advenas eos, qui in transitu sunt. Deinde redde singula singulis de eis, que sequentur.

Vos dico: "superedificati super fundamentum", id est Christum, qui est fundamentum apostolorum et prophetarum, quia et hii et illi in eo fundati sunt. Vel "super 140v fundamentum", id est fidem, ‖ in qua fundati sunt apostoli et prophete, quorum eadem fuit fides, sed tempora diversa. Et hoc "ipso summo angulari" etc., id est per Christum Jhesum, qui duos populos coniungit tamquam lapis angularis duos parietes. Hic enim lapis est, quem edificantes reprobaverunt, qui factus est[a] in caput anguli,[626] in cuius sumitate collocatus est.

"In quo", scilicet Christo, "omnis edificatio constructa", id est omnis, qui edificatur et construitur, "crescit" cotidie "in templum sanctum", id est, ut sitis templum sanctum, hoc est habitaculum Dei, et hoc "in Domino", id est per Dominum. "In quo", scilicet Christo, etiam vos "coedificamini", id est cum aliis edificati estis, "in habitaculum Dei", id est ad hoc, ut Deus inhabitet in[b] vobis. Et hoc in "Spiritu Sancto", id est per amorem Dei, qui sanctos facit, sine quo nemo fundatur in hoc fundamento.

---

[a] est] *inter lineas*
[b] in] *inter lineas*

---

[626] Matth. 21,42; Marc. 12.10; Luc. 20,17; Act. 4,11; I Petr. 2,7;

[Cap. 3.]

"Huius rei gratia", id est causa huius rei, ut videlicet vos sicut et alie gentes in hoc fundamento poneremini, "ego" videlicet "Paulus vinctus" sum "Christi Jhesu", id est de numero illorum existens, qui pro Christo vinciuntur. Et hoc "pro vobis gentibus", id est pro salute vestra, o vos gentes, quarum specialiter sum apostolus. Sed quia isti non erant per apostolum conversi, in multis tamen confirmati, supponit: "si tamen" etc., quasi dicat: Dico pro vobis gentibus, si tamen nota est vobis gratia, que data est michi in vobis. Et hoc est "si tamen dispensationem", id est si audistis ordinationem de donis Dei dispensandis vobis, que data est michi in vobis. Utrum enim gentibus predicandum esset vel ad finem gentes essent convertende, dubium erat ante apostolum, cui conversio illorum revelata fuit et legis solutio, quia lege durante, que erat quasi maceria inter illos, numquam gentes cum iudeis in ęcclesiam convenirent. Quod totum revelatum est apostolo. Et hoc est, quod supponit "quoniam secundum revelationem", quasi dicat: Bene dico: que data est michi,[a] "quoniam secundum revelationem", id est secundum hoc, quod Deus michi revelavit, "notum est michi sacramentum", id est manifestata est michi illa occulta Dei dispositio de conversione vestra, que ante me revelata non fuit.

Sacramentum autem est proprie signum rei occulte, gratie Dei videlicet invisibilis. Et ideo hoc loco occulta Dei ordinatio sacramentum appellatur.

Notum est michi, dico, "sicut supra scripsi vobis in brevi", id est in paucis verbis, cum videlicet dixerim: Ipse enim est pax nostra, qui fecit utraque unum,[627] solvens quendam parietem macerie, que videlicet inimicitias pepererat inter

---

[a] michi] *inter lineas*

---

[627] Ephes. 2,14

vos. Ita, dico, scripsi, "prout", videlicet vos, "legentes potestis intelligere prudentiam", id est me ad hoc prudentem
et idoneum a Deo electum ad istam videlicet occultam suam
dispositionem de vobis^a manifestandam. Et hoc est, quod
supponit "in ministerio Christi", id est in gratia ista Christi
ministranda vobis.

"Quod", videlicet ministerium, "non est agnitum", id est
revelatum, "aliis generationibus", id est prioribus successionibus.^b Etiam "filiis hominum", id est prophetis, qui de
conversione gentium non multum intellexerant vel de solu-
tione legis in adventu Christi propter gentes.

Non est agnitum, dico, "sicut nunc", id est in tempore
gratie, "revelatum est sanctis apostolis", nobis videlicet,
"et prophetis". Prophetas vocat interpretes et expositores
sacre scripture.

"In Spiritu" etc. Ecce illud sacramentum, illud ministerium,
quod ei revelatum est, "in Spiritu" videlicet, id est per
amorem Dei, "gentes coheredes", id est cum aliis heredes
esse, "et concorporales", id est de eodem corpore ęcclesie
esse, de quo alii, et "comparticipes promissionis", id est
omnium beneficiorum, que Deus fidelibus suis promisit in
Christo Jhesu. Et hoc "per ewangelium", id est per ewangelicam predicationem. "Cuius" ego "factus minister", id
est dispensator, quemadmodum ceteri apostoli. Et hoc non
meis meritis, sed "secundum donum gratie Dei", id est secundum donum Dei^c gratuitum.

"Que", videlicet gratia, "data est michi secundum operationem virtutis", id est que ita data est michi, quod iam in
me tam infirmo, tam impotente, qui totum mundum ad eum
converti, apparet, quantum possit eius virtus operari.

"Michi omnium". Dixi: que michi data est. Michi, dico,
"minimo omnium sanctorum", id est humiliori. Non enim
in dignitate dicit se minimum, qui post Christum omnium
maior est, sed in humiliatione, iuxta illud: Qui maior est

---

^a de vobis] *inter lineas*

^b aliis—successionibus] *inter lineas*

^c Dei] *inter lineas*

in regno celorum, minor est Johanne.[628]   "Data est gratia
hec" videlicet, et hoc "in gentibus", quibus specialiter de-
stinatus sum.

"Ewangelizare divitias", id est, quod Christus in gentibus
etiam distantibus[a] est, ut et ipse ad corpus eius, quod est
ecclesia, convertantur.   Istas autem divitias dicit esse in-
vestigabiles, quia de conversione gentium ante ipsum
non multum aliquis animadverterat.   "Et" ita "illuminare
omnes", non solum videlicet homines, sed et angelos, ut
paulo post dicet.

Illuminare, dico, "que sit dispensatio sacramenti", id est
quam rationabilis fuit hec Dei ordinatio de gratia sua im-
pertienda non solum iudeis, sed et gentibus, que multis fuit
abscondita, donec impleretur.   Et hoc est "absconditi a
seculis", id est prioribus temporibus.   Et hoc "in Deo", id
est per Deum, qui et dispensare et abscondere potuit, a quo[b]
omnia creata sunt.   Et hoc est "qui omnia creavit, ut innotescat", acsi diceret: ita videlicet illuminare, ut et angelis
maioribus etiam innotescat hec rationabilis Dei dispensatio.
Multis enim incarnatio etiam Domini occulta fuit usque ad
ascensionem, sed Gabrieli revelata erat, qui missus est ad
virginem.   Unde multi in ascensione Christi mirati sunt, ut
inter se quererent: Quis est iste rex glorie.[629]   Et hoc est,
ut "innotescat sapientia", id est rationabilis Dei dispositio,
que videlicet gentibus etiam facta est, "principatibus et po-
testatibus in celestibus", id est maioribus etiam creaturis
celestibus. Et hoc per "ecclesiam", in qua videlicet ordinatio
Dei iam est completa.

Sapientia, dico, "multiformis", quia ecclesia iam habet eam
multiformem, id est multiplicem et multo maiorem quam
priores iuxta illud: Plurimi pertransibunt et multiplex erit
scientia.[630]   Et hoc est "secundum prefinitionem", id est

---

[628] Luc. 7,28: Qui autem minor est in regno Dei, maior est illo.
[629] Psalm. 23,8,10.
[630] Dan. 12,4

secundum hoc, quod Deus prefinivit dispensandum esse in futuris successionibus. Quam prefinitionem "fecit", id est complevit, "in Christo Jhesu", id est et in illo et per illum, "in quo", id est per quem, "habemus fiduciam", spem scilicet de eternis bonis, que est, ut dicit ad Hebreos,[631] anchora nostra, qua sustinemur in fluctibus tribulationis, ne perhiclitemur. Et ita per hanc fiduciam tandem accessum habemus ad ipsum. Et hoc est "et accessum" tandem, videlicet habemus, ad Patrem per ipsum, et ad ipsum "in confidentia", id est per hanc nostram fiduciam. Et hoc totum "per fidem eius", que videlicet initium est salutis nostre et sine qua impossibile est placere Deo.[632]

"Propter quod". Quia videlicet iam vocati estis ad Deum, "peto", id est obsecro, "ne deficiatis in tribulationibus meis", id est ne defectum patiamini ex eo, quod tribulor, quod est "pro vobis", id est ad utilitatem vestram. Quia enim sciebat apostolus, quod infirmato capite solent et membra infirmari, quia percusso pastore disperguntur oves, timebat, ne illi de ipso diffiderent dicentes apud se: Iste, si talis esset, qualem se facit, numquam Deus permitteret eum tribulari. Et ideo petit, ne in istum defectum sive diffidentiam veniant de tribulationibus suis, que potius sunt ad gloriam illorum. Possunt enim gloriari, quia talem apostolum habent, qui adeo constans est, quod morte etiam a proposito suo flecti non potest, sicut dicitur in laude martirum, qui occidi possunt, sed flecti nequeunt. Est enim gloria subditorum maxima talem habere prelatorem, qui non solum in vita inreprehensibilis est, sed et in fine, ubi omnis laus canitur, constantiam habet. Et hoc est, quod supponit: "que est gloria vestra".

"Huius rei gratia", id est causa huius rei, ut videlicet non deficiatis, "flecto genua mea ad Patrem", id est humilians me exoro Deum, qui est Pater omnium. "Ex quo", scilicet Patre, "omnis paternitas", id est omnis iusta prelatio, que videlicet subiectis dominari non querit, imo more patris

---

[631] Hebr. 6,19
[632] Hebr. 11,6

illis tamquam filiis vult amore potius preesse quam timore.
"Nominatur", id est est; vocativum pro subiectivo. Tiran-
nides vero ex Deo non sunt "in celis et in terra". Sicut
enim homines alii aliis presunt, ita et angeli alii aliis dicuntur preesse. Flecto, dico, ad hoc, "ut" videlicet "det vobis
secundum divitias glorie sue", id est secundum divitem gratiam donorum suorum, in quibus glorificatur, "virtute cor-
roborari", id est confirmari. Et qua virtute, subiungit "per
Spiritum eius", id est per dilectionem illius, que sola virtus
discernit inter filios Dei et diaboli. Et hoc "in interiorem
hominem", id est in anima, cuius diligere est et non corporis. Quod totum exponit dicens "Christum habitare", id
est Christum perseverare, "per fidem in cordibus vestris",
ut videlicet fides illius a mente vestra non recedat.

Et quia de fide parum est sine amore, subnectit: "In caritate radicati et fundati", quasi dicat: Et hoc iterum oro, ut
videlicet sitis, subaudis, "radicati et fundati", pro eodem,
"in caritate", id est in dilectione Dei, et hoc ita, "ut possitis
comprehendere", id est experiri in vobis, "cum omnibus
sanctis", quemadmodum omnes sancti. Vel sic construe:
Det vobis, inquam, Christum per fidem in cordibus vestris
habitare, "ut" videlicet vos "radicati et fundati in caritate"
per fidem "possitis" comprehendere, "que" videlicet sit
"latitudo" etc., id est que sit perfectio caritatis. Hec enim
IIIIor, ut beatus dicit Jeronimus,[633] in spericis corporibus,
que rotunda sunt,[a] reperiuntur, que et suam latitudinem,
longitudinem, sublimitatem et profunditatem habent. Et
ideo in his notatur perfectio. Vel ita: "que sit latitudo", id
est quam lata sit caritas, que non solum amicos, sed et inimicos in sinu suo complectitur, de cuius latitudine dicitur:
Latum mandatum tuum nimis,[634] || cum videlicet usque ad 141r
inimicos etiam extensum sit. Item, "que sit longitudo", id

---

[a] sunt] *inter lineas*

---

[633] *Comment. in epist. ad Ephes.* lib. 2 c. 3 (PL 26,522). Sententiae
sibi attributae Hieronymus hic aperte contradicit.
[634] Psalm. 118,96

est[a] quam longa sit caritas, que videlicet hic incipit et in
futuro perficitur.   Caritas enim numquam excidit, sive
lingue cessabunt sive scientia destruetur,[635] ut in superi-
oribus dictum est.   Item que sit "sublimitas", id est quam
sit sublimis, in dignitate videlicet, quia ei soli debetur vita
eterna.   Unde dicitur: Maior autem his est caritas.[636]
Item, que sit profunditas. Profundum caritatis, id est imum,
humilitas est, que se semper humilem exhibet presertim ex
eo, quod sublimis est.   Illa enim sublimitas sine hoc fundamento stare non potest.   Et ideo caritas semper hoc unum
habet circumspecta undique attendens, quanto ascensus sub-
limior est, tanto ruinam maiorem esse.
"Scire" etiam, quasi dicat: Et ut caritatem istam in nobis
experiamur, respicite ad Christum, cuius dilectio tanta
nobis exhibita, qua maiorem nemo habet, nos potest accen-
dere et in amorem Dei trahere, qui prior nos dilexit etiam
inimicos et in fine dilexit suos[637] et in omnibus se humilem
exhibuit, qui in cruce pendens pro crucifigentibus orabat
dicens: Pater ignosce eis.[b] [638]
Continuatio: Non solum, ut possitis experiri, sed etiam ad
istam experientiam habendam "scire", id est attendere,
"caritatem Christi", id est quantum dilexit nos. Caritatem,
dico, "supereminentem scientie", id est que supereminet omni scientie. Nemo enim potuit [non] animadvertere, quod
Deus tantum hominem diligeret, ut propter hominem carnem
sumeret et filium suum etiam morti traderet.[c] Et hoc, "ut"
ita "impleamini", id est impleti sitis, "in omnem plenitudinem", id est in omnibus beneficiis, que Deus nobis promisit
et que ad salutem nostram sufficiunt.
   "Ei autem". Acsi diceret: Et in omnibus istis glorificetur Deus, qui istam experientiam non solum potens est nobis

---

[a] id est] *inter lineas*
[b] qui in cruce—eis] *inter lineas et in margine*
[c] et filium—traderet] *inter lineas*

[635] I Cor. 13,8
[636] I Cor. 13,13
[637] Joh. 13,1
[638] Luc. 23,34

dare, sed et, quecumque ab ipso postulamus, supra id etiam, quod intelligimus. Et hoc est "ei autem", id est Deo, qui videlicet non solum quod diximus, sed et "omnia facere" nobis "potens" est "superhabundanter" etc. Et hoc apparet ex virtute, quam "operatur in nobis", quia ex virtute illa, quam nobis, qui adeo imbecilles sumus, contulit, potentia illius manifesta est.

Et ipsi, inquam, "gloria" sit, id est glorificetur, "in ecclesia et in Christo Jhesu", id est de membris et de capite, qui videlicet talibus membris tale caput constituit. Et hoc "in omnes generationes", id est ista glorificatio finem non habeat, sed per omnes successiones extendatur.

[Cap. 4.]

"Obsecro". Quia videlicet, ut diximus, vocati estis et fundati super fundamentum apostolorum et prophetarum, igitur "obsecro" etc., "ut" videlicet "ambuletis digne vocatione," id est, ut eo modo,ᵃ quo oportet, ambuletis, ut videlicet vestra ambulatio digna sit "vocatione, qua vocati estis", id est eterna beatitudine, ad quam vocati estis. Que vestra ambulatio incipiat ab imo caritatis id est ab humilitate et hoc estᵇ "cum omni humilitate" in vobis et "mansuetudine" ad alios. Et hoc "cum patientia", ut videlicet compatiamini invicem. Quam patientiam exponit dicens "supportantes invicem". De qua supra: alter alterius onera portate et sic adimplebitis legem Christi.⁶³⁹ Et hoc "in caritate", id est per caritatem, ex qua est ista supportatio.

Vos, dico "solliciti servare unitatem Spiritus", id est dilectionem Dei unientem vos invicem et Deo. Et hoc "in vinculo pacis", id est per pacem, que vos invicem vincit et ad concordiam invitat. Et ut hanc pacem habeatis, estote, subaudis, "unum corpus" ecclesie, ut unus videlicet alteri serviat et alter alterum supportet, ut diximus. "Et" estote "unus spiritus" in voluntate, id est unanimes, ut videlicet nullum scisma sit in vobis vel in opere vel in voluntate. Sed unum estote in omnibus, ita videlicet "sicut in una spe vocationis vestre", id est sicut ad unum premium sperandum a vobis vocati estis. Et debetis unitatem istam in singulis servare, quia "unus" est "Dominus, una" etiam "fides", quia idem credimus, "unum baptisma", in quo regeneramur omnes. Et vere unus Dominus, quia "unus Deus", qui videlicet est "pater omnium, qui super omnes" protegendo, et "per omnia" dona sua impertiendo et "in

---

ᵃ modo] *inter lineas*
ᵇ est] *inter lineas*

⁶³⁹ Gal. 6,2

omnibus nobis" impertita custodiendo. Unde Jeronimus:[640]
Supra est regendo, infra disponendo, subtus sustentando.
"Unicuique autem". Quasi dicat: Dixi: unus Dominus,
una fides, unum baptisma. Sed tamen, licet idem sit Dominus, eadem fides, idem sacramentum, dona diversa sunt
et in eodem etiam dono alius differt ab alio. Et hoc est
"unicuique autem nostrum", id est singulis nobis, "data est
gratia", id est donum gratuitum collatum est. Et hoc "secundum mensuram" non nostre voluntatis, sed "donationis"
Christi, id est secundum hoc, quod placuit Christo donare.
"Propter quod", id est propter quam donationem sive dis-
tributionem donorum Dei, "dicit", videlicet David, de
Christo: "ascendens" etc. Hunc autem ascensum Christi
sive descensum, de quo hic loquitur, localem non intelligimus, quia illius utique descensus in humilitate fuit, qui in
omnibus, quecumque fecit, se humilem prebuit. De cuius
humilitate, ut supra meminimus, dicitur: Qui maior est
Johanne, minor est illo.[641] Ita etiam ascensus illius fuit,
cum videlicet in mentem nostram ascenderit, de quo ascensu
post resurrectionem, cum ipse Marie volenti eum tangere
apparuerit, ait: Noli me tangere, quia nondum ascendi ad
Patrem meum,[642] id est nundum in mentem tuam ascendi,
ut me videlicet crederes Patri equalem. Et ideo tu noli me
tangere, que me nondum tetigisti in mente. Nundum enim
credebat mundus nec etiam apostoli eum talem esse, qualis
erat. Et hic quidem ascensus spiritualis in mentibus illorum factus est per ascensum illius corporalem. Unde et
ipse ait: Necesse est, ut ego vadam ad Patrem. Nisi enim
abiero, paraclitus non veniet ad vos. Si autem abiero, mit-
tam eum ad vos.[643] Hec enim eius absentia sive ascensus

---

[640] Hieronymus, *Comment. in epist. ad Ephes.* lib. 2 c. 4 (PL 26,
528): Super omnes enim est Deus Pater, quia auctor est omnium.
Per omnes Filius, quia cuncta transcurrit vaditque per omnia. In
omnibus Spiritus Sanctus, quia nichil absque eo est.—Non invenitur
in Pelagii *Exposit. epist. ad Ephes.* c. 4 (PL 30,869).
[641] Luc. 7,28: Qui autem minor est in regno Dei, maior est illo.
[642] Joh. 20,17
[643] Joh. 16,7

corporalis[a] ardentiores eos fecit et eum absentem et tamquam amissum multo amplius quam primitus ceperunt diligere et maiori desiderio ad illum tendere, quoniam, ut vulgare etiam habet proverbium, res perdita centum solidos valet. Et ideo illis etiam videntibus in celum elevatus est,[644] ut sui corporis, quod primitus tam infirmum, tam grave, tam ponderosum erat, tantam eis levitatem ostenderet, ut et ipsi se eandem levitatem in corporibus suis habituros sperantes, ardentius eum ad illam vitam eminentem sequerentur. Sicut enim propter nos resurrexit, ita et propter nos omnino ascendit, cum videlicet iste ascensus localis nichil beatitudinis ei plus contulerit, quam prius habuerit. Quantum enim beatitudinis statim post resurrectionem accepit, tantum postea servavit. Et quemadmodum beatitudo illius in nullo postmodum minuta est, ita et propter eius ascensum localem non est in aliquo augmentata. Nullius enim loci dignitas vel indignitas quicquam vel pene vel beatitudinis unquam conferre potest, et, qui inde aliter sentit, eum iudaizare non dubito et divine potentie multum derogare, cum videlicet loco asscribat, quod soli Deo asscribendum puto, qui, ut dicit apostolus, in futura vita omnia in omnibus erit,[645] ex cuius visione omnis procedit beatitudo, quia ea sola beatos facit. Unde psalmista: Satiabor, cum apparuerit gloria tua,[646] non: cum aliquis locus apparuerit. Sola enim visio Dei fidelem animam, ubicumque est, eque beatam efficit, cum, ubicumque sit eque Deum presentem habeat, cuius gloriam nullus impedit locus, presertim cum in eodem etiam loco alius beatitudinem habebit, alius cruciabitur, quod inde satis liquidum est, quia, cum Lazarus iuxta divitem pertransiens in gloria esset, dives utique in pena erat. Et tanto Deus apparet patientior, qui in eodem loco unum beatum facit et alterum miserum, unum beatificat et alterum punit.

---

[a] sive ascensus corporalis] *inter lineas*

---

[644] Act. 1,9
[645] Cf. I Cor. 12,6
[646] Psalm. 16,15

Si autem loci dignitas vel indignitas auget vel minuit beatitudinem illam, quomodo dicemus angelos semper eque beatos
esse, qui sepe usque ad nos mittuntur,[a] quos tamen eque
beatos esse constat, cum semper Deum eque videant. De
quibus ipsa veritas dixit, quia angeli semper vident faciem
patris mei, qui in celis est.[647] Deus[151*] enim ubique esse
dicitur, non quod localis sit, sed quia in singulis locis, que
vult, sufficiens est ex se operari, ut, quem vult, puniat et,
quem vult, beatum faciat nullius loci dignitate vel indigni-
tate aliquid operante. Et cum Deus ubique sit, quod de celis
descendere dicitur, veluti ad sodomiticas illas civitates,
nichil aliud est, ut beatus astruit Augustinus,[648] nisi Deum
aliquod inusitatum in terra facere. Descensus enim illius
localis esse non potest, cum localis ipse non[b] sit, qui est
spiritalis nature. Locale enim non est, nisi quod sui interpositione distantiam facit ad circumstantia, quod tantum
corporalis habet natura. Verbi gratia in ebore partes eboris
sibi invicem sine omni intervallo coherent, quibus tamen
singulis cum interserta sit albedo, nullam inter eas facit
distantiam nec aliquo modo coherentiam partium disturbat.
At vero corporea natura quantumcumque minima aliis
interserta ea ab invicem disiungit. Veluti in palma mea,
ubi partes continue sunt, si infigatur stilus aliquis, statim
interpositione stili partes, que primum coherebant, disiun-
guntur. Nichil autem horum in spiritali natura contingit,
que ex toto localis non est. Quod et beatus docet Augustinus,[649] qui inter spiritum creatorem et spiritum creatum

---

[a] mittuntur] *inter lineas*
[b] non] *inter lineas*

---

[647] Matth. 18,10
[648] Augustinus, *De civitate Dei* lib. 16 c. 5 (PL 41,483). Cf. *Sent.
Flor.* 10.
[649] *De Genesi ad litteram* lib. 8 c. 20 n. 39 (PL 34,388). Cf. Abaelard., *Theologia* lib. 3 c. 6 (PL 178, 1105) ; *Sent. Flor.* 10.

[151*] Cf. Abaelard., *Theologia* lib. 3 c. 6 (PL 178,1105D) ; *Sent.
Herm.* c. 19 (PL 178,1723C) ; *Sent. Flor.*, 9 sq.

et corpus differentiam assignans dicit corpus et loco et tempore moveri. Loco, quia de loco ad locum transfertur ad
141v alia semper sua interpositione differentiam faciens. ‖ Tempore vero, quia in suis qualitatibus permutatur, cum videlicet in uno tempore sit älbum, in alio vero nigrum. Spiritum autem creatorem nec loco nec tempore, cum videlicet nec de loco ad locum transire possit nec omnino in qualitatibus permutari. Spiritum vero creatum veluti animam medium esse inter spiritum creatorem et corpoream substantiam, quoniam tempore movetur et non loco. Localis enim esse non potest, cum sit spiritalis natura. Quod habet commune cum spiritu creatore. Tempore vero mutatur, quia in suis qualitatibus anima diversificatur, cum videlicet modo tristis sit, modo hilaris. In quo participat cum corpore. Spiritus tamen creati veluti angeli quandoque locales esse dicuntur, quod non est aliud nisi eos in actionibus suis circumscribi, quia sic in uno loco amministrare habent, quod non in alio. Anima enim sic hoc corpus vegetat, quod non illud. Et ideo Deus maxime ubique esse dicitur, quia, ut supra meminimus, singula in singulis locis ex se sufficiens est amministrare.

Item quod remoti vel propinqui Deo dicimur, ista remotio sive propinquitas localis non est, sed per efficaciam gratie sue. Veluti cum dicitur: Deus est in hoc loco et in illo non est.

Item, quod dicitur: Deus de loco sancto suo[650] exibit, ut salvet nos, iste exitus localis non intelligitur, sed de manifestatione sua usque ad nos, ut videlicet, quod ab eterno in sua providentia quasi in occulto habuit, in nostram inde quasi foras[a] exeat notitiam. Veluti si poma aliqua de sinu suo quis alteri proiciat et manifestet, que ibi occulta primum latuerint.

Item, quod dicitur: Gaudent in celis anime sanctorum, non est nisi eos gaudere in vita illa eminenti, cuius eminentia

---

[a] quasi foras] *inter lineas*

---

[650] Psalm 76,6

per celum designatur, eo quod celum creatura eminentior
est. Celi enim eminentia vel dignitas nichil vel beatitudinis
augere vel pene minuere potest, sicut nec alterius loci, ut
diximus, dignitas sive indignitas. Loci tamen dignitatem
vel indignitatem non attendimus, nisi secundum nos, sicut
nec munditiam vel immunditiam, cum in rei veritate iste
locus mundior non sit eo loco vel dignior, quem indignum
vel immundum esse censemus, nec hec res ante esum mundior, quam sit etiam post secessum. Ita et nocivum aliquid
dicimus, quod nostram cito dissolvit fragilitatem, veluti
venenum, quod, cum nobis noceat, in serpente tamen ipsius
vita est. At vero hec omnia, que nobis modo nociva sunt,
si Adam in precepto Dei permansisset, nostre nature, que
tunc integra esset nec aliquam lesionem susciperet, non
possent quicquam obesse. Sed postquam ille ab obedientia
Dei recessit, ita statim et animantia ab obedientia illius
recesserunt, acsi sibi invicem ita dicerent: Sicut ille, qui
ad servitium Dei creatus est, servitio Dei se subtraxit, sic
et nos, que ad obedientiam hominis creata sumus, non
solum ei non obediamus, sed et, quantum possumus, noce-
amus.

Litteram sic lege: "Ascendens", scilicet Christus, id est
persona illa, "in altum", id est in mentem nostram, per
fidem videlicet, quia credimus[a] eam talem esse, qualis credi
debet. "Duxit", id est traxit ad se. Unde in Canticis:
Trahe me post te.[651] "Captivam captivitatem", id est eos,
qui captivati erant a diabolo, que captivitas captiva erat,
id est misera. Quamvis enim homini quis serviat, captivitas
quidem esse potest, sed nundum[b] misera. At vero miserum
est, imo miserrimum, creatorem suum relinquere et diabolo
servire. A qua servitute sive captivitate nos Christus liberavit.

"Dedit". Duxit, dico, et ducendo sive ascendendo "dedit

---

[a] credimus] *in margine*
[b] nundum] *inter lineas*

---

[651] Cant. 1,3

dona hominibus", id est gratiam suam aliam alii et aliam alii singulis tribuens secundum voluntatem suam.

"Quod autem". Quasi diceret: Et unde est iste ascensus nisi inde, quod videlicet "descendit primum", id est humiliter conversatus est cum hominibus. Descendit, dico, "in[a] inferiores partes terre", id est istam suam humiliationem mundo exhibuit, quando videlicet inferior erat, id est deterior. Cum enim iam mortui essent prophete, qui mundum illuminarent, et de Deo omnino sileretur, verbum Dei incarnatum est inter illas duas videlicet luces, lucem prophetarum, qui iam precesserunt, et lucem vel Christi vel apostolorum, que secutura erat. De quo dicitur: Dum medium silentium tenerent omnia et nox, id est cecitas, medium iter perageret, medium videlicet inter illas duas luces, venit sermo Dei a regalibus sedibus.[652]

Qui "descendit". Bene dixi: Quod autem ascendit, quid est nisi quia primum descendit, in his verbis eidem attribuens et ascensum et descensum istum, quia idem est et qui ascendit et descendit. Et hoc est "qui descendit", id est qui hanc humilitatem mundo exhibuit, "ipse et", id est etiam "ascendit", per fidem videlicet in mentem nostram. Ascendit, dico, super "omnes celos", quia iam credimus eum esse, sicuti est, super omnes eminentias illas, que sunt vel erunt in illa vita eminenti. Unde supra: Et constituens eum ad dexteram suam in celestibus supra omnem principatum, potestatem, dominationem, virtutem et super omne nomen, quod nominatur non solum in hoc mundo, sed et in futuro.[653] De quo et in Ezechiele legitur, quod videlicet animalia usque ad firmamentum extendebant alas suas, sed, cum ad aquas, que super firmamentum erant, venirent et vox fieret desuper firmamentum, statim alas suas submittebant.[654] Hec verba, quid velint dicere, summa super epistolam ad Romanos

---

[a] in] *om.*

---

[652] Sap. 18,14 sq.
[653] Eph. 1,20 sq.
[654] Ezech. 1,23-25.

expolita est.[655] Eandem tamen breviter dicam. Animalia
ista sunt sancti, qui alas suas sive pennas, id est virtutes,
quibus ad Deum volant, usque ad firmamentum extendunt,
id est usque ad angelorum eminentiam, qui firmamentum
sunt, id est,[a] qui a Deo confirmati sunt, se etiam extollunt.
Sed, cum ad aquas, que sunt super firmamentum, veniunt et
vocem audiunt, que desuper est, submittunt alas suas, id
est, cum ad Christum, qui est super omnem angelicam naturam, respiciunt et virtutes illius et agones, quanta videlicet ipse passus sit, attendunt, statim, quicquid ipsi fecerint, pro nichilo ducunt, qui videlicet in comparatione illius
nichil sunt.

"Ut impleret". Quasi dicat: Idem est, qui descendit et
ascendit. Sed ad quid ascendit? Ad hoc videlicet, "ut
impleret omnia", id est consummaret, quecumque de nostra
salute promissa sunt, que per ascensum istum in cordibus
nostris[b] sunt consummata.

Cum autem propter illum ascensum localem Christo nichil
collatum sit, queritur, an resurrectio sua, que similiter
propter nos facta est, quicquam ei contulerit, quod primitus
non habuit.

Ita,[152*] inquit, quia in resurrectione immortalitatem et im-
passibilitatem suscepit et tanto anima illa beatior fuit,
quanto corpus illius validius factum est, ut ex ipso postmodum nullam passionem vel lesionem suscipere possit.[c]

"Et ipse dedit". Vere dedit dona hominibus, quia hec dona,
et hoc est, quia ipse etiam et non alius.

"Quosdam dedit autem prophetas", id est interpretes et expositores scripturarum, vel etiam eos, qui futura predice-
rent, sicuti erat Agabus. "Pastores et doctores", pro eodem.
Et hoc non ad dominandum, sed ad ministrandum. Et hoc

---

[a] id est] *inter lineas*
[b] in cordibus nostris] *inter lineas*
[c] possit] *sequitur vacuum dimidiae partis lineae*

---

[655] Cf. Vol. I, 50 sq.

[152*] Cf. *Sent. Flor.*, 19; *Sent. Rol.* 188.

est "in opus ministerii", id est, ut aliis predicent et instruant.[a] Et hoc "ad consummationem sanctorum", id est, ut
sanctos perficiant et consument,[b] qui in corpus Christi transeant. Et hoc est "in edificationem corporis Christi", id
est ad crementum ęcclesie, que est corpus Christi. "Donec
occurramus", quasi dicat: Et ista prelatio in ęcclesia tamdiu durabit, "donec" videlicet "omnes" et maiores et
minores "occurramus", Christo videlicet, "in unitatem
fidei", id est per unitatem fidei, quam videlicet hic habemus,
et in unitate "agnitionis", id est per unitatem agnitionis,
quam ibi habebimus, ubi videlicet cognoscemus, sicut et
cogniti sumus. Sed cum dicatur: per unitatem fidei, *per*
causale est; cum vero: per unitatem agnitionis, consecuti-
vum.

Occurramus, dico, "in virum perfectum", quia videlicet in
nobis tunc nichil femineum erit, sed singulus totus quasi
vir reperietur. Ex hoc loco dicebant quidam heretici
mulieres non resurgere, astruentes viro ad hoc, ut esset perfectus, costam, ex qua mulier facta est, reddendam esse.

Et hoc "in mensuram ętatis plenitudinis", id est ad mensuram plene ętatis Christi, que etas est in homine perfec-
tior. Cuius etatis resurgemus, non tamen eiusdem magni-
tudinis omnes, sed tante stature unusquisque, ut aiunt
sancti,[c] erit, quante esset, si usque ad hanc ętatem vivendo
veniret. Et hoc ita, "ut" videlicet "iam", id est deinceps
post illum occursum "non simus parvuli fluctuantes", id est
tales, qui facile more parvulorum possimus deduci de uno in
aliud et flecti vel moveri ad modum fluctuum. Quod exponit
dicens "et", pro id est, "omni, vento doctrine" non "circum-
feramur", id est nulla ventosa, id est vana doctrina, deci-
piamur. Huiusmodi enim separative in negativas extincti-
vas sepe et maxime in divino eloquio redundant. Unde est
illud: Omne opus servile non facietis.[656]

---

[a] id est—instruant] *inter lineas*
[b] et consument] *inter lineas et in margine*
[c] ut aiunt sancti] *inter lineas*

---

[656] Lev. 23,7,21,25,35 sq. Num. 28,18,25,26; 29,1,7,12,35.

"In nequitia hominum, in astutia", id est per nequam homines et astutos, "ad circumventionem erroris", id est ad hoc astutos, ut errore suo aliquos circumveniant, id est decipiant.

"Veritatem autem". Quasi dicat: Et ut ad illum occursum ed ad agnitionem Filii Dei veniamus, interim, dum possumus, "facientes veritatem", id est vera opera, que videlicet ipsam veritatem, id est Deum, finem habeant. "Crescamus" de die in diem "in caritate", id est in dilectione. Et hoc "in illo" etc., id est per Christum, qui est caput nostrum, cuius et nos membra sumus. "Per omnia" scilicet quecumque facimus.[a] "Ex quo", scilicet Christo, "totum corpus" illius, quod est videlicet ęcclesia, "conpactum et connexum", pro eodem.

Et per quod fiat ista connexio, supponit "per omnem iuncturam subministrationis", id est per fidem, spem, caritatem, que sunt vincula nostra, que videlicet a Deo nobis subministrantur. Et hoc "secundum operationem in mensuram uniuscuiusque membri", id est secundum illam mensuram, qua in singulis membris operatur Deus unicuique membro, prout vult, tribuens. Vel "connexum secundum operationem in[b] mensuram substantie", id est secundum hoc, quod[c] unus est oculus vel pes vel manus alterius. Unde totum corpus sibi invicem subministrat et servit secundum ‖ illam opera- **142r** tionem, que unicuique membro a Deo data est ad mensuram.

"Augmentum corporis". Quasi dicat: Corpus, inquam, ita conpactum "facit" cotidie "augmentum corporis", id est sui ipsius aliquos ad se trahens,[d] et hoc "in edificationem sui", id est, ut se ipsum edificet, et hoc totum "in caritate", id est per caritatem.

"Hoc igitur". Quasi dicat: Et ut vos crescatis in illo per omnia, de cuius corpore estis et vos, "igitur dico hoc", id est precipio, et "testificor", id est coniuro, "in Domino", id est

---

[a] per—facimus] *in margine*
[b] in] *om.*
[c] quod] *inter lineas*
[d] aliquos—trahens] *in margine*

per Dominum, "ut" videlicet "iam", id est amodo, quicquid antea fecistis, "non ambuletis", in peccatis videlicet, quemadmodum "gentes ambulant in vanitate sensus sui", id est sequendo vanas et perversas suas concupiscentias.

Nota, quod non precipit eis, ne peccent, sed ne in peccatis ambulent et post pravas concupiscentias trahantur captivi. Gentes, dico, "habentes intellectum", id est rationem excecatam "tenebris", id est peccatis.

"Alienati a vita Dei", id est privati a virtutibus, quibus animam vivificat Deus. Vel privati "a vita Dei", id est ab illa ęterna beatitudine, quam Deus fidelibus suis daturus est. Alienati, dico, et hoc per "ignorantiam, que est in illis" inexcusabilis. Quod exponit dicens: "propter cecitatem cordis ipsorum", cuius causa precessit ista. Et hoc est: qui, videlicet "desperantes" de se, "tradiderunt seipsos impudicitie". Et ita desperatio causa fuit omnium. Ex quo enim desperat aliquis, in quas turpitudines se tradat, non curat. Tradiderunt, dico, impudicitie, que non solum in mente fuit, sed et foras in operationem prorupit. Et hoc est[a] "in operationem immunditie omnis" tam naturalis quam non naturalis, et hoc "in avaritiam", id est per applicationem cum magna cupiditate.

"Vos autem". Ita gentes ambulant, quomodo nolite ambulare et vos, quia "vos non ita didicistis Christum", id est non ita docuit vos Christus. "Si tamen illum", scilicet Christum, "audistis", id est intellexistis. Dubitative dicit, ut se semper suspectos habeant, quia, ut supra, qui se putat[b] firmiter stare, videat, ne cadat.[657] Et "in ipso", scilicet Christo, "edocti estis", quasi dicat: Non ita didicistis Christum, sed ita, id est non solum edocti estis ab ipso non ita facere, sed etiam ita facere. Et hoc est "et in ipso" etc., "Sicut veritas est in Jhesu", id est secundum illam veram doctrinam, que in ipso est. Vos, dico, edocti "deponere

---

[a] est] *inter lineas*
[b] putat] *inter lineas*

---

[657] I Cor. 10,12

veterem hominem secundum pristinam conversationem", id
est removere conversationem veteris hominis, id est Ade, a
nobis, ut eum non imitemur in desideriis carnis, in quibus
ipse corruptus fuit, qui et cotidie corrumpitur in nobis per
imitationem. Et hoc est "qui corrumpitur secundum desideria erroris", id est per erronea desideria, que videlicet
deducunt hominem et avellunt a via veritatis in aliquod
invium.

"Renovamini". Edocti estis, dico, et ideo "renovamini" de
die in diem more iuvencularum, que se cotidie renovant.
De qua renovatione non cogitant vetule nec de eis Deus. Et
hoc "spiritu mentis vestre", id est per dilectionem mentis
vestre, in qua consistit renovatio ista.[a]

"Et" ita "induite novum hominem", id est Christum. Induere autem Christum, ut iam sepe meminimus, non est
nisi eum imitari, sicuti leonem vel agnum induere non est
nisi imitari vel leonis ferocitatem vel mansuetudinem agni.
"Qui creatus est secundum Deum", id est secundum divinam
potentiam sine virili videlicet semine. Et hoc "in iustitia
et sanctitate veritatis", id est iustus et vere sanctus ab ipsa
conceptione. Justus: alii reddens uncuique, quod suum est;
et vere sanctus: in seipso nullam maculam recipiens. De
quo dicitur: vir sine macula et in quo dolus non fuit.[658]
Vel induite novum hominem "in iustitiam et sanctitatem",
id est imitando iustitiam illius et veram sanctitatem.

"Propter quod". Ut videlicet veterem hominem deponatis
et novum imitemini, "deponentes mendacium loquimini veritatem", ut videlicet sic sit in corde, sicut est in ore.

"Quoniam sumus". Quasi dicat: Etiam propter hoc, quia
videlicet "sumus invicem membra", id est ad hoc sumus, ut
invicem serviamus. Et ideo "irascimini", id est, si contingit
vos irasci, quod naturale est, "nolite" tamen "peccare", id
est ad actum peccati nolite iram ducere, ut videlicet ita "sol
non occidat super iracundiam vestram", id est ratio, que est

---

[a] renovatione non—ista] *in margine*

---

[658] Joh. 1,47: Ecce vere Israelita, in quo dolus non est.

lux vestra, non patiatur in vobis occasum, id est defectum propter iram, que ex toto hominem excecat, ut videlicet, sicut beatus astruit Augustinus,[659] quicquid aliquis ira comotus egerit, iustum sibi videatur, quia impedit ira animum, ne possit cernere verum. Et iterum: Ira brevis furor est. Animum rege, qui, nisi paret, imperat.[660] Et alibi: Non habet ira modum.[661] Solem ergo occidere est rationem excecari, que propter iracundiam, quod attendere debet, non attendit, imo, quod omnino iniustum est, pro iusto iudicat. "Nolite". Quasi dicat: Et ut breviter complectar, "nolite locum dare diabolo", id est nolite consentire diabolo vel membris illius.

"Qui furabatur". Illud nolite facere, sed istud facite, ut videlicet "qui furabatur, iam", id est deinceps, "non furetur", id est non sit paratus furtum facere. Imo potius "laboret magis manibus operando", illud videlicet, quod "bonum est". Laboret, dico, ad hoc, "ut" videlicet inde "habeat, unde tribuat", id est ministret, "necessitatem", id est ea, que necessaria sunt, "patienti", id est esurienti, ut videlicet in labore suo nemo de se cogitet, sed de altero, quia iacta cogitatum tuum in Domino et ipse te enutriet.[661a] "Omnis sermo" etc. Et ista separativa in extinctivam redundat, quasi dicat: Nullus sermo "malus", id est, unde proximus scandalizatur, "procedat", id est exeat. Imo "si quis", id est, si aliquis, "bonus", id est idoneus et utilis, "ad edificationem fidei", id est, ut fides edificetur. Et ad hoc, ut "det gratiam", id est aliquod donum gratuitum auditoribus. "Et nolite". Quasi dicat: Et universaliter dico: "nolite contristare Spiritum Sanctum", id est Deum reddere vobis tristem, id est iratum in aliquo, quod faciatis contra ipsum, qui Spiritum Sanctum cordibus vestris infudit. Et ideo multo magis cavere debemus, ne eum, qui adeo erga nos

---

[659] Cf. Augustinus, *Sermones ad populum*, Sermo 75 c. 4 n. 5 (PL 38,476)

[660] Horatius, *Epistolae* lib. 1, epist. 2,62 sq.

[661] Cf. Prov. 27,4. Virgilius, *Georgicon*, lib. 4,236.

[661a] Psalm. 54,23

benignus est,[a] contristemur. Tristis tamen vel iratus non
dicitur Deus, veluti: Domine, ne in furore tuo arguas me
neque in ira tua corripias me,[662] quod videlicet aliquem
motum in se habeat; sed propter effecta sua, quando videlicet, quasi sit iratus, penam aliquam iuste infert. Ira enim
Dei non est nisi iusta Dei vindicta.

"In quo", id est per quem, "signati", id est ab infidelibus
separati quasi sigillo Domini et hoc "in diem redemptionis",
id est a die baptismatis, in quo incipit redemptio nostra et
nos esse de ovili domini.[b]

"Omnis amaritudo et ira", id est omnis amara ira
sive omnis amaritudo ex ira proveniens. Tunc autem
ira amara est, quando in actum peccati prorumpit. "Et
indignatio" erga alterum, veluti quando de sublima-
tione alterius et honore indignamur. "Clamor", id est con-
tentio. "Blasphemia", in Deum. Omnia ista, inquam, tollantur a vobis, et quid irem singula?, "cum omni malitia".
"Estote". Illa, inquam, tollantur, et vos "estote invicem
benigni" affectu, id est voluntate. "Misericordes" effectu,
id est actu ipso, "donantes invicem", id est condonantes invicem, unus videlicet alteri. Ecce hii duo rami sunt misericordie, de vestro scilicet dare, et, si quid vobis quis deliquerit, ei id condonare. Quos a Deo[c] nobis fieri postulamus, cum
dicimus: Da nobis hodie et dimitte nobis debita nostra.[663]
"Sicut et Deus". Donantes, dico, ita, "sicut et Deus" etc.,
id est nobis per Christum condonavit.

---

[a] est] *inter lineas*
[b] in diem—Domini] *in margine*
[c] Deo] *inter lineas*

---

[662] Psalm. 37,2
[663] Matth. 6,11 sq.

"Estote ergo". Quia videlicet Deus donavit vobis, igitur "estote" etc., id est in hoc Deum imitamini. "Et ambulate in dilectione" et nolite stare, sed semper de bono in melius promovemini. "Sicut". Ambulate, dico, in dilectione ita, "sicut" etc. Et vere ipse dilexit nos, quia "seipsum" etiam "pro nobis tradidit", id est pro salute nostra, "oblationem" in iniuriis et afflictionibus ante mortem. "Hostiam" in ipsa morte, que hostia placuit Deo tamquam odor suavis. Tractum est a sacrificio Noe et ponitur hic pro beneplacere.

"Fornicatio". Quasi dicat: Et ut Deum imitemini sicut filii carissimi. "Fornicatio" in levibus, "immunditia" in coniugatis. Vel "fornicatio" generaliter in mulieribus, "immunditia" contra naturam. "Avaritia", id est immoderata cupiditas. Non dico, non sit, sed nec etiam "nominetur in vobis", ut videlicet vestram famam bonam non amittatis. Sed sic vivite, "sicut decet sanctos", ut videlicet nulla infamia de vobis exeat.

"Aut" etiam "turpitudo" quecumque, "stultiloquium", id est stulta verba et otiosa. "Scurrilitas". Scurrilitatem appellat quandam verborum curialitatem, que solet fieri a ioculatoribus ad commovendum risum inter aliquos. Et nota, quod, cum dicat stultiloquium, deinde scurrilitas, propter adiuncta in talibus alia restringuntur.

"Que ad rem non pertinet", id est que ad utilitatem aliquam non spectat. "Sed magis". Quasi dicat: Illa nec nominentur in vobis, sed potius nominetur in vobis "actio gratiarum", id est potius occupemini et solliciti sitis circa divinas laudes.

"Hoc enim". Et debetis utique illa vitare, quia "scitote hoc, intelligentes" videlicet, "quod omnis fornicator aut immundus aut avarus, quod", scilicet avarum esse, "est servitus idolorum", id est idolatram esse, quia avaro sic est nummus in archa, sicut idolum in ara, ut videlicet sepius dicat, ubi

est nummus, quam ubi est Deus.   Quod in Ezezia de sacerdotibus dictum est.[664]

"Non habet", si in hoc videlicet perseverat.   "Nemo".   Quidam erant inter illos, qui eis de vita futura dissuadebant
dicentes post istam vitam non aliam esse expectandam.   De
quibus providet eis apostolus, ut de talibus sibi caveant, nec
eis credant. ‖ Et hoc est: "Nemo vos seducat", id est de- 142v
cipiat, "inanibus verbis", id est vanis et inutilibus, dicens
resurrectionem mortuorum nullam esse, aliam vitam non
esse sperandam preter istam, quia quis umquam illa nobis
ostendit bona, quis umquam rediit et annuntiavit nobis de
vita illa.   Edamus ergo et bibamus, quia bonus est Deus,
qui ad presens iuvat.   Hec autem sunt verba inania, quibus
cavendum est.

"Propter hoc enim".   Dico: Nemo vos seducat, quod multum vitandum est, quia "propter hoc", id est propter huiusmodi seductionem, "ira Dei", id est iusta Dei vindicta, "venit in filios diffidentie", id est in filios Israel, qui de promis-
sis divinis diffidebant nec Deo promittenti credebant, sed
semper recalcitrabant.   Qui et in deserto interfecti sunt nec
eorum aliquis, qui de Egipto egressi sunt, terram promissionis ingressus est preter duos.

"Nolite ergo".   Et quia Deus irascitur pro huiusmodi, "ergo
nolite effici", id est fieri, "participes eorum", id est talium
consortes esse.

"Eratis enim".   Quasi dicat: Et vos precipue debetis providere vobis de huiusmodi, quia vos "eratis aliquando", non
dico, ceci, sed ipsa cecitas, et hoc est[a] "tenebre", id est tales,
quod etiam alios excecabatis[b] tunc.   Sed "nunc" estis "lux"
ipsa "in Domino", id est per Dominum, ita videlicet, quod
iam econtra[c] sufficitis alios illuminare.

Et ideo "ambulate ut filii", id est eo modo, quo debent filii

---

[a] est] *inter lineas*
[b] excecabatis] excebabatis
[c] econtra] *inter lineas*

---

[664] Ezech. 22,26

lucis, id est imitatores Christi, qui est lux vera, de quo
dicitur: Erat lux vera, que illuminat omnem hominem
venientem in hunc mundum.[665] Vel filii lucis, id est imitatores cuiuslibet viri spiritalis. Et debetis sic ambulare,
quia "fructus", id est opus, "lucis", id est viri spiritalis, est
talis, "in omni" videlicet "bonitate", id est benignitate
animi. "Iustitia" in factis, reddendo scilicet unicuique,
quod suum est. "Veritate" in dictis, ut verba videlicet cordi
respondeant. "Probantes", quasi dicat: Vos, dico, "probantes", id est attendentes in omnibus, quid "sit beneplacitum", id est que sit voluntas Dei et quid ei placeat. "Et
nolite". Ambulate, dico, et "nolite communicare", participare, consentire "infructuosis operibus", id est perversis
operibus "tenebrarum", id est eorum, qui tenebre sunt, qui
videlicet non solum in se ceci sunt, sed et alios excecant.

"Magis". Nolite, inquam, communicare, imo potius "redarguite", id est reprehendite, castigate non solum predi-
cando, sed et vivendo. "Que enim". Dixi: Nolite operibus
illorum communicare. Et bene, quia ea, "que fiunt" ab
illis, non solum factu turpia sunt, sed et dictu obscena.

"Omnia autem". Ad hoc, quod dixerat: Nolite communicare, reddidit: que enim in occulto. Ad id vero, quod subiunxit: Magis autem redarguite, reddit istud, acsi diceret:
Dixi: Magis autem redarguite, et bene, quia "omnia, que
arguuntur", id est castigantur, "a lumine", id est a viro
spiritali, "manifestantur", id est sepe per confessionem
in lucem prodeunt et in manifestationem. Quod bonum est,
quia "omne, quod manifestatur", id est, quod per confessionem in manifestationem venit, "lumen est", scilicet mani-
festanti, quia ei cooperatur in bonum.

"Propter quod", id est propter quam manifestationem sive
redarguitionem, per quam fiat ista manifestatio, "dicit",
scilicet Spiritus Sanctus, per me tamquam per organum
suum: "Surge", id est erige te, "qui dormis", id est, qui
piger es in redarguendo. Et "exurge a mortuis", id est ab
inter mortuos. "Et" ita "illuminabit tibi Christus", id est

---

[665] Joh. 1,9

Christus te faciet talem, quod alios etiam poteris illuminare. Surge quantum ad alios, quos castiges. Exurge vero quantum ad teipsum, ut eo modo vivas, quo oportet. Et tunc tua redarguitio poterit habere efficaciam.

Attende, quod hec verba alias non reperiuntur, nisi quod nonnulli ea a libro Pastoris scripta esse astruunt. Sed, ut aiunt, cum Pastor fuerit de discipulis apostoli, incredibile videtur magistrum verba discipuli posuisse.

"Videte itaque". Quia videlicet surgendum est et exurgendum, "itaque videte", id est attendite, "quomodo caute ambuletis", non videlicet perversis operibus consentientes. Et hoc est "non quasi insipientes", sed potius redarguentes. Et hoc est "sed ut sapientes". Et hec "redimentes tempus", in quo videlicet vel diabolo vel membris eius consensistis. Veluti si quis principi, imo tiranno consentit, in quo consentiendum non est. Et tunc tempus redimitur, cum, quod quis deliquerit, corrigit, vel, quod minus fecerit, supplet.

"Quoniam". Dixi: redimentes, et bene, quia etiam adhuc "dies mali sunt", id est in hoc tempore homines proni sunt ad malum, imo proniores quam prius. Et "propterea", quia videlicet dies mali sunt, cavete vobis. Et hoc est "nolite fieri imprudentes", id est incauti, non providentes vobis; imo "intelligentes", id est attendentes, "que sit voluntas Domini"", id est quid Deo placeat.

"Et" inter cetera "nolite inebriari vino, in quo est luxuria", id est, quod exponit et pronum reddit hominem ad luxuriandum. Imo loco vini "implemini Spiritu Sancto", id est estote repleti amore Dei, qui sanctos efficit. "Loquentes vobismetipsis". Ille loquitur ibi in eis, que dicit, qui ea, que dicit,[a] intelligit.

"In psalmis" etc., id est: sive psalmos dicatis sive himnos sive cantica, loquimini vobis, id est vosmetipsos in omnibus istis intelligite ad edificationem vestram. "Spiritualibus", id est non lecatoriis canticis, sed que ad Deum spectant. Loquentes vobis ipsis exponit dicens: "cantantes et psal-

---

[a] que dicit] *inter lineas*

lentes in cordibus vestris", id est in omnibus habentes intelligentiam. Et in omnibus "Deo semper gratias agentes",
id est Deum laudantes et glorificantes, "pro omnibus", beneficiis videlicet vobis collatis, "in nomine" etc., id est ex
notitia, quam habemus per Jhesum Christum Dominum
nostrum.

Vos, dico, "subiecti", id est subditi, "Deo et Patri", id est
Deo, qui Pater omnium est. "Invicem" etiam, alter videlicet
alteri, "subiecti", dico, "in timore Christi", id est in reverentia Christi, ut videlicet ipsum in omnibus revereamur et
honoremus tamquam membra caput.

"Mulieres". Nunc de mulieribus et viris eos specialiter instruit rogans, ut mulieres viris suis subiecte sint, viri vero
suas diligant uxores. Et hoc "mulieres subdite", id est
subiecte sint; viri vero suas diligant uxores. Et hoc "mulieres subdite", id est subiecte sint, et hoc "in Domino", quia
in his, que contra Dominum sunt, mulier viro non debet
subiectionem sive obedientiam.

"Quoniam". Et merito subdite, quia "vir est caput mulieris", ita "sicut Christus caput ecclesie" est. "Ipse salvator". Acsi diceret: At in hoc differunt, quod Christus
corpus, cuius caput est, salvum facit. Et hoc est "ipse
salvator corporis eius", id est corporis sui. Sepe enim
apostolus huiusmodi ponit constructiones.

"Sed sicut". Quasi dicat: Christus salvator est ecclesie.
Sed tamen quemadmodum "ecclesia subiecta est Christo",
sic et "mulieres" subiecte sint "viris suis", et hoc "in omnibus", que videlicet contra Dominum non sunt.

"Viri". Se nunc ad viros convertit rogans eos suas diligere
uxores. Et hoc est "viri diligite uxores vestras", honesto
videlicet amore. Et hoc est, quod supponit "sicut et Christus dilexit". Et vere Christus dilexit, quia seipsum tradidit
usque ad mortem pro illa. Et hoc est "et se ipsum tradidit"
et ad hoc, "ut" videlicet "illam sanctificaret", id est sanctam
faceret. "Mundans" a peccatis "lavacro aque", id est aqua
baptismatis, in "verbo vite", id est quod ad vitam ducit,
quod est in nomine Patris et Filii et Spiritus Sancti. Et

hoc, "ut" ita tandem, in futuro videlicet, "exhiberet ecclesiam gloriosam", id est redderet "sibi", id est[a] ad honorem suum. Et quomodo gloriosam, exponit: "non haben-
tem maculam" quantum ad manifesta peccata, "aut rugam"
quantum ad occulta, que quasi[b] ad modum vestis in rugam
contrahuntur, ut lateant. "Aut aliquid", id est aut etiam
veniale aliquod peccatum. Imo ita, "ut" videlicet omnino
sit "sancta et immaculata", pro eodem.

"Ita". Quasi dicat: Sic Christus dilexit ęcclesiam suam,
ita et vos, viri, vestras debetis diligere uxores. Et hoc est
"ita viri debent diligere" etc., ut videlicet se ipsos etiam pro
salute earum, si opus fuerit, tradant in Christo.

"Qui suam". Dixi: Debent diligere, et bene, quia ille,
"qui uxorem suam diligit, se ipsum diligit", id est carnem
suam diligit, quia mulier est caro viri. Sunt enim ambo
quasi unum corpus. Vel "se ipsum diligit", quia videlicet
ista dilectio in seipsum redundat. Qui enim pro alio orat,
pro se laborat. Et ideo unusquisque suam uxorem diligat,
que est caro sua, quia "nemo" hominum, id est nullus, qui
homo est, "unquam odio habuit carnem suam", id est
uxorem suam, que caro sua est; imo "nutrit et fovet", pro
eodem, ita videlicet, "sicut et Christus ęcclesiam", quam
cotidie de bono in melius promovet.

"Quia membra". Quasi dicat: Ideo etiam debet unusquisque uxorem suam sicut Christus ecclesiam diligere, quia
videlicet "sumus membra corporis eius", id est Christi, quod
corpus ęcclesia est.

"De carne". Sumus, dico, membra, sed alii "de carne" eius,
alii "de ossibus". Illi autem sunt[c] de ossibus Christi, qui
sunt fortiora membra in ęcclesia ad quelibet pericula pro
Christo toleranda. De carne vero illius sunt infirmiores et
imbecilles,[d] qui ad tanta sustinenda non sufficiunt, sed tamen
in sua simplicitate salvantur.

---

[a] id est] *inter lineas*
[b] quasi] *inter lineas*
[c] sunt] *inter lineas*
[d] et imbecilles] *inter lineas*

"Propter hoc". Istud propter hoc pendet ex precedenti littera in Genesi,[666] unde hoc testimonium scriptum est. Sopore enim Ade immisso mulier de costa eius creata est, dum videlicet non vigilabat, immo dormiebat ipse.[a] Et hoc Spiritu ei suggerente tandem a sompno expergefactus, cum 143r ipsa illi esset adducta et || copulata[b] et ait: Hoc autem os[c] de ossibus meis et caro de carne mea.[667] Non enim costa ita sumpta fuit ab illo, quod aliquid carnis circumcirca non esset, ut mulier et de osse eius et de carne fieret. Deinde prophetia repletus supposuit: Et propter hoc, inquit, relinquet homo patrem et matrem et adherebit uxori sue, id est, quia uxor est de carne viri et sunt ambo quasi una substantia, relinquet homo patrem et matrem et adherebit uxori, id est non tantam curam et sollicitudinem habebit circa patrem et matrem, quantam circa uxorem, de qua tantum debet esse sollicitus, quantum et de se ipso. Et hoc est, quod dicit: propter hoc.[d]

Queritur, quomodo de costa illa mulier facta fuerit, an videlicet ita, quod costa creverit, vel aliter.

[153*] Dicit philosophus, quod costa non crevit, sed Deus ex aere quedam coste illi aggregavit et tantam vim dedit, quod que carni sunt aggregata, ex carne in carnem et, que ossi, ex osse in ossa conversa sunt. Veluti de plumbo fit, quod in terra ponitur, cui, que extrinsecus aggregantur, tandem in plumbum convertuntur. Et quamvis costa minima pars in creatione mulieris fuerit, primordium tamen eius illi attribuitur, quia illa, ut diximus, eam vim habuit, quare cetera vel in os vel in carnem mutata sunt. Veluti grano, quod in terra iacitur, et spica ipsa et grana illa multa, que inde proveniunt, suum debent primordium. Attamen de costa

---

[a] ipse] *inter lineas*   [b] copulata] co *in margine superiori*
[c] os] *in margine superiori*
[d] Et hoc—hoc] *inter lineas*

---

[666] Gen. 2,24
[667] Gen. 2,23

[153*] Sententiam contrariam defendunt *Sent. Rol.* 114.

aliter fuit et aliter de grano. Granum enim in terra putre-
factum omnino perit. Costa vero non periit.

"Sacramentum". Hanc copulationem maris et femine dicit
esse sacramentum magnum, in Christo videlicet et ęcclesia.
Et ponitur sacramentum quandoque pro iuramento, quandoque pro visibili signo invisibilis gratie Dei sicuti hoc loco.
Veluti in baptismate illa exterior ablutio corporis significat
illam interiorem ablutionem, que fit in anima. Ita et
coniugium designat Christi et ęcclesie coniunctionem, de
cuius osse et carne sumus, quia in virtutibus, quas ipse habuit, que per ossa, que fortitudo sunt in humano corpore,
designantur, quantum possumus, ei sumus conformes, et
similiter secundum carnem infirmi sumus, quemadmodum
ipse fuit. Et quod sequitur: propter hoc relinquet homo
patrem et matrem et adherebit uxori, in Christo etiam
completum est[a] per misterium. Christus enim patrem et
matrem reliquit et uxori, id est ęcclesie adhesit, quia carnales affectus erga matrem suam et Joseph nutritorem, qui
pater eius dictus est, non habuit, id est carnali affectu eos
non dilexit. Si enim matrem suam dilexit, quod quidem
fecit, non dilexit, quia mater erat, sed quia membrum fuit,
imo melius membrum de ęcclesia. Unde, cum diceretur ei:
Mater tua et pater tuus querunt te, ait: Quis est pater meus
et mater mea? Omnis autem, quicumque fecerit voluntatem patris mei, qui in celis est, hic pater, hic mater, hic
soror mea est.[668] Et, quemadmodum ipse fecit, ita postmodum, ut alii facerent, docuit dicens: Nisi qui reliquerit
patrem et matrem, non potest meus esse discipulus,[669] id
est, nisi qui ruperit carnales affectus, non est dignus meo
discipulatu. [154*]Ille enim rumpit, qui unumquemque in dilectione amplectitur, prout credit eum dignum,[b] ut semper

---

[a] est] *inter lineas*
[b] dignum] *add.* eum

---

[668] Matth. 12,47 sq.; Marc. 3,31 sq.; Luc. 8,19 sq.
[669] Luc. 14,26

[154*] Cf. Vol. I, 44.

meliorem plus diligat volens, ut melius sit ei quam etiam sibi. Debeo enim matrem Domini plus diligere quam Petrum, id est velle ei melius esse quam Petro vel etiam michi, sicut monacho cuilibet relligioso melius quam fratri meo. De monacho tamen non tantum ero sollicitus, quantum de fratre meo in aministratione temporalium.

Obicitur ad hec, quomodo preceptum sit: honora patrem et matrem,[670] cum carnali affectu complectendi non sint.

[155*]Philosophus: Quod autem, inquit, dicitur: honora patrem et matrem, non est, ut carnaliter eos diligamus, sed eis honorem duplicem exhibeamus. De quo apostolus: Dupplici honore digni sunt,[671] ut videlicet et eos revereamur et circa eos curam in necessariis aministrandis habeamus, non solum precepto constricti, sed et exemplo Domini amoniti, qui pendens in cruce matrem discipulo, virginem virgini commendavit. De aliis autem sanctis mulieribus non ita erat sollicitus, qui nec Mariam Cleophe nec Salome vel Petro vel alii discipulo legitur commendasse. Et tamen, cum non debeamus patrem vel matrem carnaliter diligere, illud contingere bonum est, sicuti etiam, quecumque mala eveniunt, ut beatus dicit Augustinus,[672] ea esse bonum est. Homicidium enim, cum malum sit, illud tamen esse bonum est.[a]

---

[a] est] *sequitur vacuum duarum tertiarum partium lineae*

---

[670] Exod. 20,12
[671] I Tim. 5,17
[672] Augustinus, *Enchiridion* c. 96 (PL 40,276).

[155*] Cf. *Sent. Rol.* 314.

"Filii, obedite". Post viros, mulieres de filiis dicit, ut et ipsi patribus obedientiam exhibeant. Et hoc est "filii obedite parentibus vestris", et hoc "in Domino", quia in illis, que vos a Deo dividunt, non habetis eis obedire. Veluti cum aliquis hominium alicui fecerit, si ille voluerit, ut iste iuvet eum in eo, quod contra Deum est, non debet ei obedientiam. Imo in eo potius, si eum manuteneret, fidem suam non servaret, cum tale quid faceret, quod ad periculum et destructionem Domini sui esset. Et, o vos homines, ut tiranno non obediatis, sit saltem magister vester in talibus lupus, leo et bruta cetera, que, cum ad hominis servitium, ut supra meminimus, creata essent, illo ab obedientia Dei recedente recesserunt et illa ab obedientia illius.

"Hoc enim". Dixi: obedite, et bene, quia hoc "iustum est", scriptura videlicet dicente: "honora" etc., duplici scilicet honore, in reverentia videlicet et, si opus fuerit, in administrandis necessariis.

"Primum in promissione", quia, cum dicat scriptura: Non occides, non mechaberis[673] et cetera, et tandem: Honora patrem et matrem, nulli mandato supposita est promissio nisi isti. Et ideo vocat istud mandatum primum in promissione, quoniam nulli precedentium promissio subiuncta est. Et hec est promissio, "ut" videlicet "bene sit tibi", in divitiis habundes et diu vivas. Qui enim patribus inobedientes sunt, non solum vitam futuram, sciatis,[a] eis aufert, sed et eos cito de terra extirpat. "Super terram", id est in hoc mundo.

"Et vos", filii, sic facite et "vos, patres", etc., id est commovere eos ad iram. Imo "educate in disciplina" etc. Hinc

---

[a] sciatis] *inter lineas*

---

[673] Exod. 20,13 sq.

est, quod iudei nos multum possunt arguere, sicut beatus Jeronimus[674] dicit super illum locum, ubi de Susanna
dicitur: Et parentes eius, cum essent iusti, erudierunt
filiam suam secundum legem Moysi;[675] quia christiani, si
filios suos erudiunt, non faciunt propter Deum, sed propter
lucrum, ut videlicet frater, si clericus fuerit, iuvet patrem et
matrem et alios fratres. Dicunt enim, quia clericus sine
herede erit, et, quicquid habebit, nostrum erit et aliorum
fratrum. Ei autem satis erit et nigra capa, in qua eat ad
ecclesiam et suum superpellicium. Judei vero zelo Dei et
amore legis, quotquot habent filios, ad litteras ponunt, ut
legem Dei unusquisque intelligat. De quibus, cum dicat
apostolus: obsecratio mea pro illis ad Deum in salutem,[676]
supponit: perhibeo enim illis testimonium, quia magnum
fervorem habent in Deum, etsi non secundum scientiam.
Judeus enim, quantumcumque pauper, etiamsi[a] decem
haberet filios, omnes ad litteras mitteret non propter lucrum, sicut christiani, sed propter legem Dei intelligendam,
et non solum filios, sed et filias.

"Servi obedite". Item de servis separatim dicit, ut et ipsi
dominis suis obediant. Et hoc est "servi obedite dominis"
etiam "carnalibus", id est exhibete illis obedientiam, et hoc
"cum timore" animi "et tremore" corporis, et hoc "in simplicitate cordis vestri", id est pura intentione ad Deum, ut
in Deo finem ponatis, non in illis. Cum timore, dico, et tremore "sicut Christo", sine omni videlicet simulatione. Quod
exponit dicens: "Non ad oculum servientes", id est non
ita servientes, ut videlicet id, quod foris exhibebitis, bona
voluntate non fiat. Quod et repplicat dicens: "nec quasi
hominibus placentes", id est non querentes tantum homini-

---

[a] etiamsi] si *inter lineas*

---

[674] *Commentariorum in Danielem liber* cap. 13 (PL 25,580). Hic
habetur ad v. 3: Hoc utendum est testimonio ad exhortationem paren-
tum, ut doceant iuxta legem Dei sermonemque divinum non solum
filios, sed et filias suas.
[675] Dan. 13,3
[676] Rom. 10,1

bus placere, sed "ut servi Christi, facientes", id est ita
servientes, ut in omnibus voluntatem Dei attendatis. Et
hoc est cum "bona voluntate servientes sicut Domino et non"
sicut "hominibus", ut videlicet, si hominibus servitis, hominibus non imputetis, sed Deo. Veluti si quis nuntium alicuius divitis suscipit, quicquid ei facit, non propter illum,
sed propter Dominum illius est,ᵃ cui totum imputat et quem
in nuntio quodammodo suscipit. Ita et nos, si hominibus
servimus, faciamus, ut in illis Domino serviamus, quia, ut
ipse dicit, qui prophetam suscipit in nomine meo, me suscipit.[677]   Et, quod uni ex minimis meis facitis, michi
facitis.[678]   Vos, dico, "scientes", id est attendentes, "quo-
niam unusquisque" etc. || 143v

"Et vos".   Ad dominos se convertit rogans eos, ut erga
servos minas remittant et comminationes.   Et hoc est: "Et
vos, domini, eadem facite illis", id est tales vos exhibete illis,
quales illi vobis.

"Remittentes minas", ut videlicet dulcedo verborum et man-
suetudo vestra faciat eos meritum habere apud Deum, ne,
si eos cogatis vel turpia aliqua eis dicatis, illi semper re-
calcitrent, ut numquam, quodcumque faciunt, ex anima
faciant.   Vos, dico, "scientes", id est attendentes, quia "illorum et vester Dominus est in celis", quem et vos et illi
iudicem expectatis.   Et ideo illis saltem parcite, quia, ut
dicit apostolus, horrendum est incidere in manus Domini
viventis.[679]

"Et personarum".   Possent dicere: Numquam Deus pro
talibus nos puniet, imo potius nobis plus parcet quam illis.
Ad quod dicit, quia Deus personam hominis non attendit,

ᵃ est] *inter lineas*

---

[677] Matth. 10,41: Qui recipit prophetam in nomine prophetae, mer-
cedem prophetae accipiet.   Cf. Marc. 9,36: Quisquis unum ex huiusmodi pueris receperit in nomine meo, me recipit.

[678] Matth. 25,40: Amen, dico vobis, quamdiu fecistis uni ex his fratribus meis minimis, mihi fecistis.

[679] Hebr. 10,31

sed que fiunt. Et hoc est "et personarum acceptio" etc. Et
ideo cavete vobis nichil de personatu vestro confidentes.

"De cetero". Post speciales exortationes ad communem
redit. Et hoc est "De cetero", id est insuper "confortamini
in Domino", id est fiduciam et spem vestram in Deo ponatis.
Confortamini, dico, et hoc in "potentia virtutis eius", que
videlicet virtus tanta est, quod ei nichil resisti potest. Et
ideo "induimini armaturam Dei", id est fidem, spem, caritatem, que sunt vestra arma a Deo data contra spiritales inimicos. Et hoc est "ut" videlicet "possitis stare adversus
insidias diaboli", id est viriliter contra diabolum dimicare,
qui multum callidus est ad insidiandum.

"Quia". Bene dico: contra insidias diaboli, "quia non est
colluctatio nobis adversus carnem et sanguinem", id est
adversus carnaliter viventes. Si enim homines nobis prevalent et eis servimus, vitium est. Sed, si vitio vincimur et
post peccatum trahimur, ignominiosum est nobis, si videlicet
peccato servimus. Et ideo, inquam, cum hominibus non est
nobis colluctari, sed "adversus principes et potestates", id
est adversus diabolos, quorum alii potestates sunt, alii principes, qui videlicet maiores sunt. Quod repplicat dicens:
"adversus rectores mundi", id est mundanorum hominum,
quos nequam spiritus tamquam rectores, quo volunt, ducunt. Item *mundi* exponit dicens: "harum tenebrarum",
id est horum tenebrosorum, qui videlicet ita ceci sunt, quod
pro nichilo ducunt, quod maximum est, et quod pro nichilo
habendum est, pro maximo reputant, qua cecitate nulla
maior est.

Item explanat dicens: contra "spiritualia nequitie", id est
contra spiritales nequitias, hoc est contra demones, qui
spiritus sunt et spiritalia corpora, id est aeria, habent. Et
hoc "in celestibus", id est pro celestibus nobis auferendis.
Ad hoc enim semper nituntur illi, ut nos inde removeant,
unde et ipsi ceciderunt. Et ideo perpetuo nobis invident.
Et "propterea", quia videlicet contra tales habetis dimicare
hostes, "accipite armaturam Dei", id est arma spiritalia,
virtutes videlicet, quas Deus, cui vult, dat, "ut" ita "possitis

resistere" hostibus vestris, "in die" videlicet isto, id est
tempore "malo", id est pleno temptationum.   "Et" sic
"stare", perseverare "perfecti in omnibus". "State" ergo.
Que sit illa armatura Dei, quam accipiant, exponit, quasi
dicat: Et ut possitis resistere omnibus per acceptam armaturam: ergo accipite. Et hoc "state in veritate", id est
Christo adherentes et vere eius doctrine, qui veritas est,
sicut ipse ait: Ego sum veritas.[680] Qui enim in Christo
non est, a veritate exorbitat et non est nisi in falsitate.

"Succincti lumbos vestros", id est habentes lumbos vestros
succinctos, id est carnalem concupiscentiam restrictam, que
per lumbos in viris designatur, in quibus et ipsa regnat.
Unde dicitur: Sint lumbi vestri precincti.[681] Ille autem
concupiscentiam cingulo non habet repressam, qui illam
sequitur et cui ea dominatur.

"Induti loricam iustitie", id est ipsam iustitiam, quam debemus habere tamquam loricam, que undique nos tegat et
apud Deum et apud proximum reddendo unicuique, quod
suum est. "Et calciati pedes in preparatione", ut videlicet
aliis predicetis. Pes autem iste est affectus vester, quo
ducimur ad aliquid agendum. Hic autem debet esse calciatus, ne pulverem tangat, ut videlicet in nostra predicatione
terram non tangamus, id est terrena non concupiscamus.
Veluti illi,[a] qui semper in fine caudam argenteam faciunt.
Hii autem sandalia in pedibus non habent. Sunt enim
sandalia quedam calciamenta, que Deus discipulis suis dedit,
ut dicit ewangelista,[682] que subtus pedem integra sunt, ne
pes terram tangat, supra vero aperta sunt, ita quod totus
pes desuper nudus est. Ista autem calciamenta predicatores
habere debent, ut videlicet pes eorum inde calciatus sit, ne
terram tangat, id est ne affectus illorum in predicationibus
suis et intentio ad terrena applicetur. Item nudus desuper

---

[a] illi] *in margine superiori*

---

[680] Joh. 14,6
[681] Luc. 12,35
[682] Marc. 6,9

esse debet, ut illi inter se et Deum nichil ponant, sed ita
sincere predicent, ut, quicquid fecerint, ad Deum tamquam
ad causam suppremam accomodent. Et iterum aperta sit
eorum predicatio, ut ea, que predicant, possint intelligi, ut
videlicet se contemperent secundum singulos et intelligant
singula, que dicunt, ne, cum predicent credendum esse in
Deum Patrem et Filium et Spiritum Sanctum, et queratur
ab eis, an se intelligant, dicant: Nos utique nescimus, quod
dicimus, sed tamen credite. Et hoc est "calciati pedes", id
est habentes pedes calciatos, id est affectus vestros et intentiones, ne terram tangant. Et hoc in "preparatione
ewangelii", id est, cum aliis predicabitis, quos Deo prepare-
tis per ewangelium, quod dicitur bona annuntiatio, quia est
de re completa. Quod enim lex dicebat futurum esse dicens:
Ecce virgo concipiet et pariet filium,[683] ewangelium completum esse predicat, cum ait: Et peperit filium suum primo-
genitum et posuit eum in presepe;[684] in quo, quicquid Deus
de vestra salute disposuit, dicitur consumatum. Et appellatur ewangelium pacis, id est reconciliationis, quia in eo
nostra continetur reconciliatio, vel quia nos Deo reconciliat.
"In omnibus". Quasi dicat: Et "in omnibus", que videlicet
a Deo expectanda sunt, "sumentes scutum fidei", id est fidem
tamquam scutum, sine qua impossibile est Deo placere. "In
quo", scilicet scuto, "possitis omnia tela" etc. Tela ista ignea
sunt suggestiones diaboli, que nos incendunt et commovent
ad aliquid faciendum, quod faciendum non est, quas ipse
facit per aliquam rei phisicam, apponendo vel herbam vel
aliquem lapidem, cuius vires cognoverit, ut nos in libidinem
provocet vel ad aliud trahat illicitum. At vero bonus econtra angelus sepe nobis antidotum porrigit, ut eius nobis non
possit nocere venenum, cuius tela ignea tunc extinguimus,
cum id videlicet, quod nobis suggerit, in effectum non du-
cimus, imo omnino propter Deum ab eo, quod nobis persuadet, retrahimur. Sepe autem non per se ipsum, sed per
alias personas, quas ipse nobis mittit, istas facit suggesti-

---

[683] Is. 7,14; Matth. 1,23; Luc. 1,31
[684] Luc. 2,7

ones, veluti ut beatus dicit Jeronimus[685] in vita Pauli here-
mite, missa est illi a diabolo ad temptandum quedam meretrix pulcherrima, que ita eum in luxuriam promovit, ut de
eo dicat Jeronimus:[686] Ecce, quem tormenta superare non
poterant, superabat voluptas. Verumtamen ille, cum tantum ardorem luxurie sentiret, ut diabolum inde fugaret,
sibi ipsi linguam amputavit dentibus et proiecit in faciem
meretricis. Et illa fugit continuo. Et ita passione illa et
dolore immoderatus ardor ille libidinis restinctus est et re-
pressus.

"Et galeam salutis assumite", id est spem, que mentem
nostram, que caput hominis est, undique protegit, ne in tribulationibus succumbamus, promittens nobis tantum premium, ut, quicquid hic patimur, pro nichilo ducamus, quia,
sicut apostolus alibi dicit, spes est tamquam anchora nostra,[687] que nos inter procellas mundi, ne periclitemur, sustentat. Et quantum spes valeat, monstrat Seneca,[688] qui
persuadet, ut, cum homo sit in tribulatione quacumque,
consolatione habeat, quod sibi deterius poterit contingere
proponat, et sic, quicquid evenerit, patientius tolerabit.[a]

"Et gladium spiritus", id est gladium spiritalem. Quod exponit dicens: "quod est verbum Dei", id est sacra scriptura,
ut videlicet, cum quis aliquid suggesserit, quod faciendum
non est, scripturam sacram, que contra est, obiciamus. Et
hoc exemplo Domini, qui temptatus a diabolo dicente: Dic,
ut lapides isti panes fiant,[689] obiecit: Non in solo pane vivit
homo.[690] Item, cum dixerit: Si procidens adoraveris me,
hec omnia tibi dabo,[691] opposuit dicens: Dominum Deum

---

[a] persuadet—tolerabit] *in margine*

---

[685] *Vita S. Pauli primi eremitae* n. 3 (PL 23,20A).
[686] Hieronymus, *Vita S. Pauli primi eremitae* n. 3 (PL 23,20A).
[687] Hebr. 6,18 sq.
[688] Cf. *Epistolae*, 98,4 sq.; *Dialogi*, 6,9,1
[689] Matth. 4; Luc. 4
[690] Matth. 4,4; Luc. 4,4
[691] Matth. 4,9; Luc. 4,7

tuum adorabis et ei soli servies.[692]   Item, cum statuerit eum
super pinnaculum templi dicens: Mitte te deorsum; scriptum est[a] enim: angelis suis mandavit de te, ut custodiant te
144r in omnibus viis tuis,[693] dixit ei tertio Dominus: Vade, ‖
satana;[694] non temptabis Dominum tuum.[695]   Ille autem
temptat Dominum, qui, cum se per se ipsum liberare poterit,
rogat tamen, ut se per miraculum aliquod liberet Deus,
veluti rusticus, qui rogavit Deum, ut plaustrum suum a
luto extraheret per miraculum, quod ipse per se facere
potuit.

Et nota: cum angelis suis mandavit de te,[696] dictum sit de
quolibet iusto, diabolus tamen hoc induxit, quasi de Christo
specialiter dictum esset, cui totum psalmum expositurus non
erat.

"Per omnem orationem".   Quasi dicat: Et preter omnia
ista "orantes" etc.   Oratio enim duabus de causis necessaria est, ut videlicet ad gloriam Dei,[b] quam semper querere
debemus, id quod habemus, ab ipso habere orando recon-
gnoscamus. Item ex ipsa verborum prolatione sepe compunctiores reddimur, cum videlicet ea, que dicimus, intelligimus.
Quod dicit: orationem et obsecrationem, pro eodem potest
dici, ut videlicet unum sit expositio alterius.   Vel "orationem" pro se et "obsecrationem" pro altero.   Orantes, dico,
"omni tempore", quod videlicet ad orandum institutum est.
Et hoc "in spiritu", id est in devotione, quia parum valent
verba, immo nichil, nisi assit devotio.   Sic enim stemus ad
psallendum, ut mens nostra voci nostre concordet.   Et hoc
"in ipso", scilicet spiritu, id est devotione, "vigilantes", id
est persistentes, "cum omni instantia", id est perseverantia,
"et obsecratione", facta videlicet "pro omnibus sanctis et"

---

[a] est] *inter lineas*
[b] Dei] *inter lineas*

---

[692] Matth. 4,10; Luc. 4,8
[693] Matth. 4,6; Luc. 4,9 sqq.
[694] Matth. 4,10
[695] Matth. 4,7; Luc. 4,12
[696] Psalm. 90,11.

ita "pro me, ut" videlicet "detur michi" etc., id est sermo apertus vel ad predicandum vel ad scribendum.

Mirum est de hoc apostolo, quomodo incarceratus[a] tantam habuit libertatem, ut suas tam libere mitteret epistolas. Sed, ut credimus, ipsos custodes, qui eius bonitatem intelligebant, tales habuit, ut et ipsi et parchmenum fortasse et cetera necessaria ei repperirent.

"Fiducia" detur, dico, ad hoc scilicet "facere misterium ewangelii notum", id est manifestare ewangelium, quod, cum prius occultum fuerit, per nos iam revelatum est, et hoc "cum fiducia", id est confidenter. Vel detur "fiducia", in hoc scilicet, "facere" etc. "Pro quo", scilicet ewangelio, "fungor legatione" etiam in hac "catena". Quod Romani non attendunt, qui in legationibus suis, si possunt, numquam usque ad catenam venient.

"Ita ut". Fiducia, dico, "ita ut" videlicet "in ipso", id est de ipso, scilicet ewangelio, "audeam loqui", id est predicare, eo modo, quo me oportet.

"Ut autem". Quasi dicat: Dixi me fungi legatione in cathena. Et ideo, "ut" videlicet "et vos", ne ultra modum contristemini de me, "sciatis, que circa" etc. Quod exponit "quid agam, omnia" manifestabit vobis "Tichicus" etc. Commendat eum, ut ab illis melius suscipiatur. "Quem", scilicet Tichicum, "misi ad vos in hoc", id est propter hoc ipsum, "ut" videlicet "cognoscatis" etc. "et" ita "consolentur corda vestra", cum videlicet scietis, quod michi melius est quam existimetis.

"Pax" etc. Finiturus epistolam optat eis pacem et ea, que necessaria sunt eis ad salutem. Et hoc est "pax", sit, subaudis, vobis, "fratribus". Que sit pax ista, exponit "et caritas", quasi dicat: hoc est "caritas", id est delectio Dei et proximi, "cum fide", id est credendo ea, que credi oportet ad salutem. Et hoc "a Deo Patre nostro", qui videlicet vult, quia Pater, et Pater, quia Deus. "Et Domino nostro Jhesu Christo", per quem omnia et sine quo nichil habemus.

---

[a] incarceratus] *inter lineas*

"Gratia". Quasi dicat: Et non solum opto vobis, que ad salutem vestram sunt, sed etiam "gratia" sit "cum omnibus, qui" videlicet "diligunt Dominum" etc. Gratia, dico, "in incorruptione", ut videlicet ad vitam incorruptam ducat eos Deus.

INDEX NOMINUM ET RERUM